SOUVERAINS ET SOUVERAINES DE FRANCE

S0-BAH-307

GEORGES BORDONOVE
CLOVIS
481-511
PÈRE DE CLOTAIRE Iᵉʳ
LES ROIS QUI ONT FAIT LA FRANCE
Pygmalion

978-2-7564-0244-4
21,90 €

IVAN GOBRY
CLOTAIRE Iᵉʳ
558-561
FILS DE CLOVIS
HISTOIRE DES ROIS DE FRANCE
Pygmalion

978-2-7564-0483-7
20,90 €

IVAN GOBRY
DAGOBERT Iᵉʳ
629-639
FILS DE CLOTAIRE II
HISTOIRE DES ROIS DE FRANCE
Pygmalion

978-2-7564-0036-5
20,90 €

GEORGES BORDONOVE
CHARLEMAGNE
768-814
FILS DE PÉPIN LE BREF
LES ROIS QUI ONT FAIT LA FRANCE
Pygmalion

978-2-7564-0187-4
21,50 €

IVAN GOBRY
CHARLES II
843-877
FILS DE LOUIS Iᵉʳ
HISTOIRE DES ROIS DE FRANCE
Pygmalion

978-2-7564-0086-0
20 €

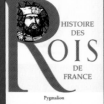

IVAN GOBRY
CHARLES III
898-929
FILS DE LOUIS II
HISTOIRE DES ROIS DE FRANCE
Pygmalion

978-2-7564-0114-0
20 €

IVAN GOBRY
ROBERT Iᵉʳ
922-923
ANCÊTRE DE HUGUES CAPET
HISTOIRE DES ROIS DE FRANCE
Pygmalion

978-2-7564-0423-3
et 20,90 €

IVAN GOBRY
LOUIS IV
936-954
FILS DE CHARLES III
HISTOIRE DES ROIS DE FRANCE
Pygmalion

978-2-7564-0184-3
20 €

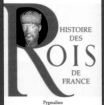

IVAN GOBRY
LOTHAIRE
954-986
FILS DE LOUIS IV
HISTOIRE DES ROIS DE FRANCE
Pygmalion

978-2-7564-0199-7
20 €

IVAN GOBRY
LOUIS V
986-987
FILS DE LOTHAIRE
HISTOIRE DES ROIS DE FRANCE
Pygmalion

978-2-7564-0212-3
20 €

GEORGES BORDONOVE
HUGUES CAPET
987-996
PÈRE DE ROBERT II
LES ROIS QUI ONT FAIT LA FRANCE
Pygmalion

978-2-7564-0484-4
21,90 €

IVAN GOBRY
HENRI Iᵉʳ
1031-1060
FILS DE ROBERT II LE PIEUX
HISTOIRE DES ROIS DE FRANCE
Pygmalion

978-2-7564-0145-4
20 €

GEORGES BORDONOVE

CHARLES X
1824-1830

PETIT-FILS DE LOUIS XV

LES ROIS
QUI ONT FAIT
LA FRANCE

Pygmalion

978-2-7564-0242-0
21,50 €

GEORGES BORDONOVE

LOUIS-PHILIPPE
1830-1848

ROI DES FRANÇAIS

LES ROIS
QUI ONT FAIT
LA FRANCE

Pygmalion

978-2-7564-0263-5
21,90 €

ANNE BERNET

RADEGONDE

ÉPOUSE DE CLOTAIRE Ier

HISTOIRE DES REINES DE FRANCE

Pygmalion

978-2-7564-0042-6
21 €

CHRISTIANE GIL

MARGUERITE DE PROVENCE

ÉPOUSE DE SAINT LOUIS
MÈRE DE PHILIPPE III

HISTOIRE DES REINES DE FRANCE

Pygmalion

978-2-7564-0000-6
21 €

HENRI PIGAILLEM

ANNE DE BRETAGNE

ÉPOUSE DE CHARLES VIII ET DE LOUIS XII

HISTOIRE DES REINES DE FRANCE

Pygmalion

978-2-7564-0079-2
21,90 €

HENRI PIGAILLEM

JEANNE DE FRANCE

PREMIÈRE ÉPOUSE DE LOUIS XII

HISTOIRE DES REINES DE FRANCE

Pygmalion

978-2-7564-0176-8
21,90 €

HENRI PIGAILLEM

CLAUDE DE FRANCE

PREMIÈRE ÉPOUSE DE FRANÇOIS Ier
MÈRE DE HENRI II

HISTOIRE DES REINES DE FRANCE

Pygmalion

978-2-7564-0038-9
21 €

MICHEL COMBET

ÉLÉONORE D'AUTRICHE

SECONDE ÉPOUSE DE FRANÇOIS Ier

HISTOIRE DES REINES DE FRANCE

Pygmalion

978-2-7564-0006-8
23,90 €

JEAN-PIERRE POIRIER

CATHERINE DE MÉDICIS

ÉPOUSE D'HENRI II

HISTOIRE DES REINES DE FRANCE

Pygmalion

978-2-7564-0218-5
24,50 €

RENÉ GUERDAN

MARIE STUART

ÉPOUSE DE FRANÇOIS II

HISTOIRE DES REINES DE FRANCE

Pygmalion

978-2-7564-0072-3
21 €

JOËLLE CHEVÉ

MARIE-THÉRÈSE D'AUTRICHE

ÉPOUSE DE LOUIS XIV

HISTOIRE DES REINES DE FRANCE

Pygmalion

978-2-8570-4949-4
24,90 €

ANNE MURATORI-PHILIP

MARIE LESZCZYŃSKA

ÉPOUSE DE LOUIS XV

HISTOIRE DES REINES DE FRANCE

Pygmalion

978-2-7564-0170-6
22,90 €

À noter :
**Clotaire II, Eudes, Pépin le Bref,
Louis II, Philippe III, Charles V,
Louis XVI, Blanche de Castille,
Aliénor d'Aquitaine, Marie de
Médicis, Anne d'Autriche sont
également disponibles sous une
autre couverture.**

PHILIPPE DELORME

MARIE-ANTOINETTE

ÉPOUSE DE LOUIS XVI
MÈRE DE LOUIS XVII

HISTOIRE DES REINES DE FRANCE

Pygmalion

978-2-8570-4609-7
21,90 €

FLORENCE VIDAL

MARIE-AMÉLIE DE BOURBON-SICILE

ÉPOUSE DE LOUIS-PHILIPPE

HISTOIRE DES REINES DE FRANCE

Pygmalion

978-2-7564-0076-1
22,90 €

Histoire
des Rois de France

DU MÊME AUTEUR

Chez Pygmalion

La Reine Christine, 1999.
Pépin le Bref, 2001.
Louis Ier, 2002.
Louis VII, 2002.
Philippe Ier, 2003.
Louis VI, 2003.
Clotaire Ier, 2003.
Saint Augustin, 2004.
Philippe III, 2004.
Clotaire II, 2005.
Eudes, 2005.
Robert II, 2005
Dagobert Ier, 2006.
Charles II le Chauve, 2007.
Charles III le Simple, 2007.
Henri Ier, 2007.
Louis IV, 2008.
Lothaire, 2008.
Dictionnaire des papes, 2008.
Louis V, 2009.
Louis VIII, 2009.
Louis X, 2010.
Philippe V, 2010.
Charles IV, 2011.
Philippe VI, 2011.
Raoul, 2012.
Charles VIII, 2012.
Louis III, Carloman et Charles le Gros, 2012.
François II, 2012.

IVAN GOBRY

Histoire
des Rois de France

LOUIS II
LE BÈGUE

Fils de Charles II le Chauve

877 - 879

Pygmalion

Sur simple demande adressée à
Pygmalion, 87 quai Panhard et Levassor, 75647 Paris Cedex 13,
vous recevrez gratuitement notre catalogue
qui vous tiendra au courant de nos dernières publications.

© 2012, Pygmalion, département de Flammarion
ISBN : 978-2-7564-0776-0

Le Code de la propriété intellectuelle n'autorisant, aux termes de l'article L. 122-5 (2° et 3°
a), d'une part, que les « copies ou reproductions strictement réservées à l'usage privé du
copiste et non destinées à une utilisation collective » et, d'autre part, que les analyses et les
courtes citations dans un but d'exemple et d'illustration, « toute représentation ou
reproduction intégrale ou partielle faite sans le consentement de l'auteur ou de ses ayants
droit ou ayants cause est illicite » (art. L. 122-4).
Cette représentation ou reproduction, par quelque procédé que ce soit, constituerait donc
une contrefaçon sanctionnée par les articles L. 335-2 et suivants du Code de la propriété
intellectuelle.

PREMIÈRE PARTIE

L'HÉRITAGE DYNASTIQUE

I

LES HOMONYMES

Dès qu'on entend évoquer le personnage de Louis II, une question surgit : duquel s'agit-il ? Louis Ier le Pieux, fils de Charlemagne et son successeur sur le trône de l'empire d'Occident, n'était pas promis primitivement à cette dignité. Il était le quatrième fils de son père, et il reçut de celui-ci de son vivant, pour la facilité du gouvernement d'un si vaste empire, le royaume d'Aquitaine. Souverain tout nominal : il avait trois ans, et ce royaume, comme celui d'Italie attribué à Pépin son frère, faisait figure d'un grand fief au cœur de l'Empire. Toulouse était loin d'Aix-la-Chapelle ; l'empereur dominateur prenait la précaution d'attribuer à ses propres fils, présumés soumis, ces parcelles de l'Empire dénommées royaumes. Louis Ier n'avait donc pas vocation à l'imperium. Ce fut pourquoi il fut baptisé sous un nom qui ne serait pas celui d'un empereur.

Dans les monarchies, et singulièrement dans celles qui se sont succédé en France, le nom du souverain revêt une grande importance : il fait partie de la succession. C'est ainsi que, chez les Mérovingiens, nous voyons trois Clovis, mais aussi quatre Thierry (nom du fils aîné du grand Clovis), quatre Clotaire, trois Childéric, trois Sigebert, trois Dagobert. Nous verrons, chez les Capétiens, alterner les Louis et les Philippe, chez les Valois se succéder les Charles, chez les Bourbons les Louis. Charlemagne lui-même, le premier Charles, avait donné son propre prénom à son premier fils légitime, l'avait associé au trône et destiné à l'Empire. Il avait attribué à son second fils le nom de Pépin, car c'était celui de son propre père Pépin le Bref, lui-même petit-fils de Pépin de Herstal, qui avait pour aïeul Pépin de Landen. À tel point que cette dynastie génératrice de celle des Carolingiens sera considérée comme celle des Pippinides (latin *Pippo*).

Charles et Pépin, fils de Charlemagne, étant morts prématurément, le trône impérial échut, pour son malheur, au troisième fils légitime, Louis. Qu'il fallut numéroter premier, puisque sa descendance carolingienne, sur huit souverains, en compta quatre de son nom.

Louis était d'ailleurs l'équivalent de *Clovis*, tous deux se traduisant en latin *Ludovicus*. Le premier souverain de ce nom s'appelait en réalité Chlodoweg ou Chlodowich, « Combat glorieux », appellation barbare que les clercs gallo-romains transformèrent en une prononciation et une graphie conformes à leur culture. Ce fut ainsi que le nom devint en langage populaire Louis en France et Ludwig en Germanie.

Louis le Pieux aurait dû à ce compte être catalogué comme quatrième. Saint Louis eût été Louis XII et Louis XIV Louis XVII. C'eût été sans prendre en considération l'originalité et l'autonomie d'une dynastie. Le premier *Ludovicus*, fils du premier *Carolus*, fut numéroté premier dans la succession interne de la dynastie. Il fut donc Louis.

10

Du même coup, ce prénom impérial et doté d'une numérotation fut appelé à se perpétuer. Il y eut, en deux siècles, dans les lignées issues de Louis le Pieux, neuf souverains qui portèrent son nom. Et comme ces lignées étaient plurielles et parallèles, on compta quatre Louis II. Dont Louis le Bègue, sur le trône de France, fut le moins remarquable, ce qui exige qu'on précise, chaque fois qu'on le nomme sans son sobriquet, de qui il est le fils.

Le premier à signaler est Louis le Germanique, troisième fils de Louis le Pieux. Il est habituellement nommé comme Louis Ier, puisqu'il est le premier roi de Germanie, à lui attribuée par le traité de Verdun, qui partagea l'empire de Charlemagne. Mais certains historiens considèrent que le père régnant sur la Germanie, sous son sceptre partie de l'Empire, le fils, son successeur, doit être appelé Louis II.

En fait, le souverain qui, en Germanie, porte plus usuellement et plus normalement le nom de Louis II, est le second fils de Louis le Germanique. Il est vrai qu'il ne coiffa pas la même couronne que son père, puisque le royaume de Germanie, à la mort du premier titulaire et par sa volonté, fut partagé entre ses trois fils. Tandis que Carloman, l'aîné, recevait la Bavière, Louis, le second, obtenait la Saxe, et hérita ensuite de la Bavière à la mort de son frère aîné. Un certain nombre d'auteurs, considérant que le père et le fils ne régnèrent pas sur le même territoire, évitent de nommer ce petit souverain Louis II, lui réservant le nom de Louis le Jeune. Cette précaution peut en effet éviter la méprise. Il convient alors de ne pas interpréter *le Jeune* comme un qualificatif, ainsi que *le Pieux* ou *le Bègue*, mais comme l'emploi d'une distinction entre le père et le fils. Il en sera ainsi plus tard chez les Capétiens. Louis VI le Gros ayant fait sacrer roi de son vivant son fils homonyme, avec l'appellation de roi, il y eut sur le trône de France deux rois du même nom. On ne pouvait encore appeler le fils Louis VII, puisqu'il n'avait pas succédé à Louis VI. On l'appela alors Louis le Jeune (*Junior*), pour le distinguer de Louis l'Ancien. Certains historiens pourtant continuent de le nommer ainsi quand il règne. Appellation incorrecte, car il n'a plus auprès de lui un roi auquel il peut être comparé. Il mourra à soixante ans : comment l'appeler encore *le Jeune* ?

Le Louis II qui, en dehors de la branche française de la dynastie carolingienne, mérite le mieux ce nom et se trouve mêlé le plus activement aux événements européens, c'est le quatrième empereur d'Occident, petit-fils de Louis Ier le Pieux. Ce dernier, fils et héritier de Charlemagne, eut à son tour quatre fils, l'aîné étant Lothaire qui, lors des partages successifs de l'Empire, reçut la Bavière, puis l'Italie, enfin, à la mort de son père, le titre d'empereur. Pépin, second des frères, ayant passé de vie à trépas avant leur père, devient l'un des protagonistes de la terrible guerre qui aboutit au traité de Verdun, par lequel Charles II le Chauve, bientôt père de Louis II de France, devint le roi de la France Occidentale, c'est-à-dire de ce royaume qui deviendrait désormais la France.

Lothaire, empereur d'Occident avec un étrange empire, étiré entre les royaumes de ses frères de la mer du Nord aux États de l'Église, engendra à son tour trois fils, entre lesquels il partagea cet empire rétréci avant de disparaître. En 855, son aîné, Louis, hérita simplement de l'Italie. Et bien que régnant sur un tiers de l'empire de son père, qui couvrait déjà le tiers de celui de Louis le Pieux, il reçut avec ce neuvième d'empire, comme aîné, le titre d'empereur. Ce souverain fut donc légitimement Louis II, deuxième du nom après le Pieux, et empereur comme ses deux prédécesseurs.

Ce Louis II, roi d'Italie et empereur nominal, eut un règne court et agité. Il commença par agrandir son médiocre héritage. Son plus jeune frère, Charles le Jeune (celui-là n'a pas été numéroté), avait reçu en partage le royaume de Provence, qui s'étendait du Jura à la Méditerranée. Maladif et arriéré mental, il décéda en 863 à l'âge de dix-huit ans. Louis II se partagea son royaume avec leur frère Lothaire, roi de Lotharingie, à laquelle il donna son nom. Le reste de son règne s'accomplit en Italie. Tour à tour vaincu et vainqueur des Sarrasins qui occupaient le sud de la péninsule, il y soumit aussi les princes chrétiens, mais avec une telle violence qu'ils durent combattre l'empereur à leur tour. Sa femme Angelberge révolta par sa cupidité. Si bien qu'en 871 Adalgise, prince de Bénévent, mit l'empereur en état d'arrestation, et ne le relâcha que sur l'intervention du pape Jean VIII.

Mort en 875 à l'âge de cinquante ans, Louis II laissait pour toute progéniture sa fille Ermengarde. Charles le Chauve s'empressa de se faire couronner empereur à Rome. Se faisant ensuite (876) couronner roi d'Italie, il détrôna de la sorte Ermengarde. Il trouva alors le moyen d'unir les deux lignées : il maria Ermengarde à Boson, frère de sa femme Richilde, dont il avait fait un comte à Lyon et qu'il fit vice-roi d'Italie, avec le titre de duc. Avec ce Louis II empereur, nous retrouvons donc d'une certaine façon Louis II le Bègue, puisque celui-ci, fils de Richilde, est le neveu de Boson, époux d'Ermengarde.

II

CHARLES LE CHAUVE (823-877), PÈRE DE LOUIS LE BÈGUE ET CRÉATEUR DU ROYAUME DE FRANCE

La dynastie carolingienne n'a pas été riche en grands souverains, contrairement à celle des Capétiens qui devait lui succéder. Sur trente-deux de ses personnages qui occupèrent les trônes d'Europe, empereurs et rois, trois montrent une capacité et une habileté à établir un règne glorieux et fécond. Et ces trois font honneur à la France, car Pépin le Bref, père de la dynastie, appartient à la noblesse d'Austrasie, fief des Mérovingiens ; Charlemagne, tout en régnant sur l'ensemble de l'Europe occidentale, en est immédiatement issu. Et le troisième grand est son petit-fils Charles le Chauve.

L'ensemble de ces souverains et roitelets qui leur succèdent renouvellent les vices, les inconséquences, les échecs, les maladresses des Mérovingiens, mais aussi leur absence d'honneur, de bonté et de modération. Acharnés, dès les fils de Louis le Pieux, à recevoir, à garder et à amplifier, par tous les moyens, même les plus sanglants et les plus retors, un territoire sur lequel ils pourront assurer leur

15

puissance et recevoir leur richesse, ils occupent la plus grande partie de l'histoire de la dynastie à se combattre et à intriguer pour morceler l'empire de Charlemagne. Pendant le premier siècle qui suit la mort de celui-ci, la politique de ses successeurs ne pratiquera pas moins de treize partages, plus ou moins éphémères, parce que conçus au gré des héritages et tributaires de la voracité des princes prédateurs. Et cette politique est assurée par une suite quasi ininterrompue de guerres sanglantes, tandis que tous ces Grands jaloux de leurs privilèges et bénéfices ne sont guère soucieux de leurs peuples. Ce ne sont pas des hommes d'État, mais des tyrans, avec trop peu de génie pour étendre leur domination au gré de leurs ambitions.

On ne peut nier, certes, chez nombre de ces souverains, la valeur personnelle, au sens de courage guerrier et de conduite de la guerre. On peut relever quelques traits de sage administration chez tel ou tel. On peut, chez les derniers Carolingiens français (entendons par là Louis IV et Lothaire), observer avec intérêt une certaine conscience de leur fonction royale. Mais alors ces souverains ne sont plus rois à part entière : ils sont les victimes de la féodalité ; et si ce ne sont plus avec leurs propres frères qu'ils entretiennent des conflits, c'est avec leurs vassaux. Devant la tyrannie ou la faiblesse des rois, les vassaux s'arrogent le pouvoir et les mettent en tutelle, quand ils ne les emprisonnent pas. Les fils de Louis le Pieux avaient détrôné deux fois leur père. Ensuite, ce furent les vassaux qui se chargèrent de cet attentat.

Les Carolingiens ont été les premiers rois à recevoir la légitimation du sacre. Le premier sacre d'un roi de France est celui de Pépin le Bref, père de la monarchie carolingienne. Il le reçoit d'abord de saint Boniface, archevêque de Mayence, puis, pour proclamer la valeur universelle de ce geste, par le pape Étienne II à Saint-Denis. À partir de ce moment, le souverain n'est plus détenteur de l'autorité par sa seule puissance, ni même par l'hérédité, contrairement aux Mérovingiens pour lesquels la valeur intouchable du roi était l'héritage du sang, mais par son caractère sacré.

Or, ce qui montre le plus la déchéance du souverain carolingien, c'est la perte de ce caractère sacré aux yeux de ses vassaux. L'empereur Louis II (871) est capturé sans ménagement par le duc Adalgise de Bénévent, qui ne lui rend la liberté que par nécessité. L'empereur Charles III le Gros (887) est déposé par ses vassaux, emprisonné et bientôt assassiné. Ses successeurs à l'Empire, son neveu Arnulf et son petit-neveu Louis IV l'Enfant, sont renversés de la même façon ; et Louis IV de Germanie joue le même rôle que Louis V de France : il est le dernier souverain carolingien, car c'est son vassal Conrad de Franconie qui lui ravit son trône[1].

Le duc Bérenger de Frioul (904), après s'être fait élire roi d'Italie par des seigneurs ambitieux, capture l'empereur Louis III, roi d'Arles, et lui fait arracher les yeux. En France, Charles III le Simple (922) est détrôné par les Grands, quelques années plus tard enlevé par le comte Herbert de Vermandois, qui le laisse mourir en prison au bout d'une longue captivité. Louis IV, son fils, capturé (945) par le duc de Normandie, est livré à Hugues le Grand, duc de Francie et comte de Paris, qui le tient un an en captivité jusqu'à ce qu'il lui ait abandonné sa dernière place forte. Le vassal devient le maître territorial et militaire du royaume, et le roi n'est plus qu'une autorité symbolique.

Charles II, roi d'Alamanie à six ans, roi d'Aquitaine à neuf ans, roi de Francie à quatorze ans par le jeu des luttes

---

1. Il est vrai que Conrad de Franconie avait épousé Glismut (Glismonde), fille de l'empereur Arnulf, et appartenait de cette façon à la famille carolingienne. Mais, à sa mort, en 918, les seigneurs allemands élurent pour roi le duc de Saxe Henri l'Oiseleur. C'était cette fois la naissance d'une nouvelle dynastie.

et des partages, devint roi de la France Occidentale enfin à l'âge de vingt ans, cette fois non plus par les concessions de ses parents et de ses frères, mais par sa volonté persévérante. Il est remarquable que ce prince, malmené pendant toute son adolescence, trompé, détrôné, vaincu, séquestré, parvienne finalement au pouvoir sans trahison, sans bassesse, sans vengeance, avec pour forces non seulement sa valeur militaire, mais sa loyauté et sa magnanimité. À son frère aîné Lothaire, un pervers haineux et trompeur, il pardonne après chacun de ses méfaits et, après l'avoir tenu en sa puissance, il lui concède la part d'héritage qu'il convoite.

Ces luttes fraternelles, qui causèrent tant de morts et de ruines, furent le résultat de l'imprévoyance de Louis le Pieux. Or, gouverner, c'est prévoir. Monté sur le trône de son père en 814, ce souverain timoré, anxieux et scrupuleux, pour imiter ce père inimitable, décide dès 817 d'opérer le partage de l'Empire. Partage prématuré, puisqu'il n'est pas exécutable tout de suite, mais par succession. Louis a trente-neuf ans. Il est dans la force de l'âge, hérite d'une administration rigoureuse et d'une puissante armée, de quoi aborder un règne paisible et fructueux. Mais il offre prématurément à des fils indignes des royaumes sur lesquels ils deviennent impatients de régner.

Le comble à la déraison survint deux ans plus tard. En 818, Louis le Pieux devint veuf d'Ermengarde, mère de ses héritiers. D'abord inconsolé, il épousa en 819, à titre de consolation, Judith, fille d'un petit seigneur de Bavière. Il eût pu (il eût dû) faire un mariage morganatique, soit en déclarant cette femme inapte à transmettre l'héritage impérial, soit en épousant une fille de petite noblesse encore, et consciente de son extraction. Ainsi en avait fait Charlemagne. Après avoir désigné ses héritiers, fils de Hildegarde, il n'épousa tour à tour, après la mort de celle-ci, et deux autres quelque peu éphémères, que des femmes de

18

noblesse insignifiante [1], ce qui fait dire à un certain nombre d'historiens qu'elles furent ses concubines. Les enfants issus de ces unions furent en effet déclarés illégitimes. Non pas certes parce qu'enfants naturels, bâtards ; mais parce qu'inaptes à hériter d'un trône. Les fils furent Drogon, évêque de Metz, archichapelain de Louis Ier ; Hugues, abbé de Saint-Quentin, archichapelain à son tour ; Richbold, abbé de Saint-Riquier. C'était leur faire la part belle.

Si Judith fut déclarée impératrice à part entière, ce ne fut pas seulement à cause de la faiblesse et de l'admiration amoureuse de son époux, mais aussi et surtout à cause de son caractère ambitieux et dominateur. À peine devenue la femme de l'empereur, elle ne poursuivit plus qu'un but, obtenir un fils qui s'assoirait sur un trône. Il fut long à venir. Ce fut en 823, quatre ans après ce nouveau mariage impérial, que Judith mit au monde un fils qui reçut le nom de Charles, celui de son grand-père.

L'impératrice n'avait pas pour son fils des ambitions seulement glorieuses et territoriales. Elle tint à en faire un homme de culture. L'aïeul Charles n'avait-il pas étudié, dans sa propre jeunesse, la grammaire, la dialectique, l'astronomie et la médecine ? N'était-il pas devenu, selon Nokter le Bègue, le *doctissimus Carolus* ? Ne parlait-il pas le latin avec autant d'assurance que son tudesque natif ? Ne lisait-il pas le grec, le syriaque et le slavon ? Ne surpassa-t-il pas tous les souverains, au dire de Hincmar, dans la connaissance des sciences ecclésiastiques ? Pour faire de Charles II un émule de Charles Ier, Judith tira de son abbaye, pour en faire son précepteur, l'un des plus fameux érudits du temps, Walafrid Strabon, moine de Fulda. Le jeune Charles le reçut pour maître dès l'âge de six ans, et le garda jusqu'à quinze ans. Neuf ans de leçons prestigieuses, dans une intimité propice,

---

1. Madelgarde, Gerwinde, Régina, Adalinde.

où le prince docile reçut, outre la culture des humanités gréco-latines, la connaissance approfondie de l'Écriture sainte et de l'histoire. Son éducation ne fut pourtant pas celle d'un moine. Car son père y ajouta les leçons des maîtres d'armes et d'équitation, et l'initiation à la politique.

Cette formation ample et brillante ne désintéressa pas l'ambitieuse Judith de ses projets politiques. Or, en 817, Louis le Pieux avait promulgué une charte qui accordait à ses trois fils issus d'Ermengarde leurs parts d'héritage territorial. Charte approuvée solennellement à Aix par la réunion des Grands de l'Empire. En 829, quand le prince Charles eut atteint six ans, Judith réclama pour lui un royaume. N'était-il pas le fils de l'empereur à l'égal de ses trois aînés ? Cruel dilemme pour Louis : il se trouvait écrasé entre son serment à la nation et sa tendresse pour son épouse ; et aussi entre la jalousie vigilante de ses aînés et les droits de son dernier fils. Comment se sortir de cette situation ?

Louis préféra ne pas prendre lui-même une décision. Il préférait rejeter la responsabilité de la solution sur l'assemblée des Francs, ce qui serait ensuite la Diète d'Empire. Il la convoqua à Worms au mois d'août. Il ne lui posa pas seulement la question du sort de Charles ; mais, malgré sa résolution de ne pas prendre parti devant l'assemblée, afin de lui laisser sa libre détermination, il se fit l'avocat d'une révision de la charte de 817, invoquant le fait que ce jour-là il n'avait que trois héritiers, alors qu'il en avait maintenant un quatrième jouissant des mêmes droits. L'assemblée donna raison à cet argument, et adopta le projet d'accorder un royaume au quatrième fils de l'empereur.

Le contenu de ce nouveau royaume était prêt. C'était Judith qui en avait préparé les contours. Il était essentiellement continental et en majeure partie rupestre. Il consistait à peu près dans l'ancienne Alamanie, enserrant les hautes vallées du Rhin et du Danube, avec la grande province de Souabe, les villes de Strasbourg et de Constance.

Charles était roi. C'est-à-dire, pour les trois frères aînés, un usurpateur et un rival. Ce fut l'occasion de la première révolte, qui réunit non seulement les princes lésés, mais toute une partie de l'aristocratie nobiliaire et épiscopale, qui ne tolérait pas la violation de la charte de 817. En 830, une petite armée des rebelles assiégea dans le palais de Compiègne l'empereur, sa femme et leur dernier fils. Lothaire, prenant, en tant qu'héritier du trône impérial, la tête de la rébellion, réclama à Louis son abdication. Et comme il hésitait à répondre à une telle mise en demeure, il fut séquestré avec le prince Charles, tandis que Judith était entraînée jusqu'à Poitiers, où on lui fit prendre le voile de force à l'abbaye Sainte-Croix. Lothaire remit son petit frère à des moines présents, en leur enjoignant de l'éduquer dans leur monastère. À d'autres moines, il confia le soin d'obtenir de l'empereur, assigné dans son palais, un acte de renonciation au trône. Comptant sur la religiosité et la malléabilité de son père, Lothaire n'employait pas encore les méthodes brutales.

Coup d'État manqué par un apprenti conspirateur. Les abbés auxquels était confié le rôle de geôliers, parmi lesquels Gombaud, abbé de Kempten en Bavière, se firent les partisans de leur prisonnier. Gombaud, parcourant les provinces fidèles à l'empereur, appela les seigneurs à rejeter le fils rebelle. Celui-ci, voulant obtenir la ratification de son initiative par les représentants de la nation, convoqua une assemblée à Nimègue, en ignorant que ses adversaires y accourraient en grand nombre. Louis le Pieux y apparut soudain, qui dispersa la réunion, et convoqua une diète d'empire à Thionville. Les chefs de la rébellion furent condamnés à mort, et Lothaire perdit son droit à l'Empire, pour tentative d'usurpation.

Les deux fils cadets de Louis le Pieux, Pépin et Louis, n'avaient pas participé à la rébellion de 830. Malgré l'échec de celle-ci, ils entretenaient des sentiments et des projets hostiles à leur père. D'abord, certes, hostiles à leur dernier frère, coupable d'intrusion dans leur vie politique, mais le statut de ce trublion ne pouvait changer que par la volonté de l'empereur. Et l'empereur ne pouvait plus changer que par une nouvelle rébellion qui le mettrait à genoux.

Les deux frères formèrent un complot, l'un depuis l'Aquitaine, l'autre depuis la Bavière, par négociateurs interposés. Ils convinrent que seule une action militaire commune pouvait ébranler leur père. Il fut décidé que l'un progresserait vers Aix en traversant la Gaule, l'autre en suivant le cours du Danube et en descendant le Rhin. En 832, Pépin, roi d'Aquitaine, reçut l'alliance de Bernard de Septimanie, duc d'Espagne (de cette marche d'Espagne, avec pour capitale Barcelone, qui faisait alors partie de l'Empire franc). Ils formèrent ensemble une armée qui eut de la peine à s'ébranler vers le nord. Tant de peine que Louis le Pieux, aussitôt averti, réunit une forte armée qui pénétra en Aquitaine avant même que celle de Pépin eût quitté son royaume.

L'empereur présida une assemblée qui procéda à deux sentences : Pépin était déposé pour crimes de rébellion et de lèse-majesté ; Charles était nommé roi d'Aquitaine pour occuper son trône. Celui que Pépin visait comme victime prenait sa place. Judith, qui avait été tirée du monastère de Poitiers, triomphait plus que jamais.

La suite fut tout aussi rapide. Louis le Jeune, qui ignorait le sort de son frère, progressait en Austrasie selon un projet précis. La prise d'Aix-la-Chapelle, peut-être ? L'armée impériale surgit soudain, bouscula ses Bavarois qui s'enfuirent. Louis fut capturé et enfermé dans un monastère. À son tour.

La paix était revenue. Mais non pas la concorde. L'empereur, trop bon, n'avait pas fait incarcérer ses fils indignes. Il leur était facile de s'évader de leurs lieux de détention monastique. Et Lothaire, tout en ayant perdu son droit à l'empire, restait roi d'Italie. Ils conclurent une nouvelle alliance, et choisirent un point central de la réunion de leurs armées. Dès 833, cette réunion était accomplie : au sud de l'Alsace, dans un lieu nommé Rothfeld : « le Champ rouge ».

Lothaire, craignant à bon droit une défaite, avait imaginé de vaincre non par les armes, mais par la soumission de l'ennemi, en réalité son propre père. Roi d'Italie et protecteur du Saint-Siège, il parvint à décider le pape Grégoire IV de l'accompagner pour exercer sa médiation. Les fils et leurs troupes s'étaient regroupés dans la plaine en attendant l'arrivée de Louis le Pieux, qui survint quelques jours plus tard. En force, et déjà sûr de sa victoire. Avant même que ses guerriers se fussent formés en ordre de bataille, Grégoire IV, conseillé par Lothaire, alla le visiter sous sa tente, et le supplia de consentir à des négociations. Une nouvelle fois, le faible Louis consentit. Pendant ces pourparlers, les agents des trois fils rendaient visite aux chefs de l'armée impériale pour leur annoncer que la guerre était terminée et qu'ils n'avaient plus qu'à regagner leurs fiefs.

Les rebelles n'avaient plus qu'à mettre la main sur l'empereur impuissant. L'affaire ne traîna pas : ils le déclarèrent déchu, et Lothaire se proclama empereur. Louis le Pieux se trouvait la victime d'un nouveau coup d'État, plus rapide et plus implacable que le premier. Il fut emmené à Soissons et incarcéré à l'abbaye Saint-Médard. Judith, confiée à Louis le Jeune, fut enfermée dans la forteresse de Tortone en Lombardie. Le jeune Charles le Chauve fut remis aux bénédictins de Prüm, dans le diocèse de Trèves, avec mission d'en faire un moine.

Lothaire convoqua à Reims à une prétendue assemblée d'Empire ses partisans et les ennemis politiques de son père. Elle proclama la déchéance de l'empereur. Mais le successeur improvisé se montra si odieux qu'il provoqua une réaction. Ses frères, les rois d'Aquitaine et de Bavière, s'unirent contre lui. Se voyant trop fortement menacé, Lothaire décida de se réfugier dans son royaume d'Italie. Et pour ne pas laisser sa proie à ses ennemis, il fit ficeler son père sur un cheval en ordonnant qu'on le fît traîner à sa suite ; puis, il le confia à Hilduin, abbé de Saint-Denis, qui le laissa délivrer par ses partisans.

Tandis que Lothaire fuyard repassait les Alpes, Louis le Pieux assemblait à Aix-la-Chapelle, en cette année 837, une nouvelle diète d'Empire et lui réclamait de régler le sort de Charles le Chauve, âgé maintenant de quatorze ans. Il n'était plus roi d'Alamanie, il n'était plus roi d'Aquitaine. Quel royaume lui confier ? On en inventa un nouveau, plus vaste et plus riche que les précédents, et correspondant à ce qui serait bientôt le duché de Francie : un territoire s'étendant entre le Rhin et la Loire. Pépin, déclaré rebelle, fut dépossédé de l'Aquitaine, qui retourna à Charles. Ce garçon régnait maintenant sur une moitié de l'Empire.

Lothaire n'allait-il pas s'armer à nouveau, cette fois contre son jeune frère ? Louis le Pieux, toujours inconséquent, crut trouver la parade. Contre la comédie du repentir et de la soumission, jouée en 839 devant l'assemblée de Worms, l'Empire fut partagé, à l'exception de la Bavière laissée généreusement à Louis le Jeune, entre Lothaire et Charles.

Lothaire n'avait plus qu'une ambition : s'emparer des parts de ses frères et devenir le seul maître de l'Empire. Pour la réaliser, il attendit une année encore. Le 20 juin 840, l'empereur Louis trépassa. C'était le signal.

Lothaire passa les Alpes avec une forte armée. Maladroitement, il commença par prendre des villes de Louis de Bavière, puis fit demi-tour pour s'attaquer à celles de Charles de France. C'était provoquer l'alliance de ses deux cadets. Les deux armées, l'une progressant le long du Danube et du Rhin, l'autre s'avançant le long de la Loire, s'unirent sur le territoire de Fontenoy-en-Puisaye, au sud-ouest d'Auxerre. Le 25 juin 841, Lothaire eut l'effrayante témérité d'attaquer cette redoutable force armée. Ce fut une mêlée gigantesque, une des plus implacables de l'histoire européenne. Lothaire perdit quarante mille hommes. Le reste prit la fuite.

Le 14 février 842 eut lieu entre les deux vainqueurs un acte mémorable, important non pas seulement pour l'histoire militaire, mais pour l'histoire de la culture. Ce fut le Serment de Strasbourg. Les deux frères conclurent loyalement une alliance en se jurant solennellement devant leurs troupes une amitié fidèle. Louis, face à son armée, prononça son serment en langue tudesque ; Charles, en face de la sienne, en langue romane. Mais, pour mieux être compris, ils inversèrent les discours : Louis parla aux Francs dans leur langue romane ; et comme ce discours fut transcrit, il est le premier texte transmis dans cette langue. Charles, de son côté, parla aux Germains en langue tudesque.

Les deux vainqueurs, bien que sûrs de leur puissance, décidèrent de donner à l'Empire un partage définitif, opéré par les bénéficiaires. Ils eurent la magnanimité de demander à Lothaire, qui, faute de mieux, consentit, de leur envoyer ses plénipotentiaires. En juillet 843, les commissions désignées par les trois souverains se réunirent à Dugny, sur la Meuse, à deux lieues au sud de Verdun. Elles parvinrent à ce résultat inattendu de délimiter les royaumes des trois souverains. Louis, appelé désormais le Germanique, recevait tous les pays de langue allemande à l'est du Rhin, avec au surplus, sur la rive gauche, les évêchés de Mayence, de Worms et de Spire. C'était le royaume de la France Orientale. Charles gardait, à peu de chose près, son grand territoire de l'Ouest, avec une frontière qui suivait l'Escaut, approchait la Meuse sans s'y arrêter, longeait la Saône. Les fameuses frontières naturelles. C'était le royaume de la France Occidentale. Entre ces deux royaumes, c'est-à-dire à l'est de la Meuse, de la Saône et du Rhône, puis enserrant la Bourgogne, la Provence et l'Italie du Nord, s'étendait, de la mer du Nord aux États de l'Église, l'empire de Lothaire. Les trois frères signèrent cet étrange et astucieux partage. Ce fut le traité de Verdun. Charles II régnait sur un royaume nouveau, mais qui allait subsister sous cette forme, à peu près, durant la suite des siècles.

Charles le Chauve tint à affirmer son pouvoir. Peu après le traité de Verdun, qui lui attribuait son royaume définitif, il tint à se faire reconnaître par ses vassaux. Il avait été désigné par ses frères, mais non par l'aristocratie du royaume. Avec ces partages, ces déchéances, cette mouvance des frontières, les souverains, autant que de droit divin, devenaient des élus. Charles appela les barons et les évêques de la France Occidentale à une grande assemblée, qui se tint dans sa villa de Coulaines, près du Mans. Tous, las des guerres et satisfaits d'avoir pour roi un prince jeune, énergique et loyal, lui jurèrent secours et obéissance.

On s'étonne que ce souverain reconnu par la noblesse et le clergé attendît pour se faire sacrer, comme l'avaient été, après le fondateur de la dynastie, son aïeul et son père. La cérémonie solennelle eut lieu dans la cathédrale d'Orléans, le 6 juin 848. Avant de recevoir l'onction sainte, Charles réclama à nouveau l'adhésion des barons rassemblés dans la nef. Il fut acclamé roi. Wénilon, archevêque de Sens, métropolitain d'Orléans et de Paris, procéda aux rites, auxquels il ajouta le couronnement.

Ce n'était pas encore suffisant aux yeux de l'élu. Il convenait que cette légitimité fût reconnue dans toutes les limites de son royaume. Son frère Pépin, roi d'Aquitaine, avait été dépossédé par le traité de Verdun, et ce royaume temporaire faisait maintenant partie de la France Occidentale. Charles voulut être reconnu par les comtes et les évêques d'Aquitaine. En août 849, il les réunit à Limoges en assemblée et reçut leur hommage. Il se transporta à Narbonne, où les Grands de Septimanie lui rendirent le même hommage.

III

LES DEUX ÉPOUSES
DE CHARLES LE CHAUVE

Charles le Chauve épousa successivement deux femmes, qui appartenaient l'une et l'autre à l'aristocratie du royaume.

La première fut Ermentrude, fille du défunt comte Eudes d'Orléans. Celui-ci était lui-même neveu de Hildegarde, femme de Charlemagne. Il avait épousé Engeltrude de Fézensac, sœur de Girart, comte de Paris, puis de Vienne, et d'Adalard, sénéchal de Louis le Pieux. La fiancée avait une douzaine d'années et des domaines exigus. Sa mère s'arrangea pour lui constituer un douaire avec des terres situées près de Corbie.

Le mariage eut lieu en 842, au moment d'un entracte dans la guerre qui opposait les trois fils de Louis le Pieux, alors que se déroulaient les prolégomènes du traité de Verdun. La cérémonie se déroula à Quierzy-sur-Oise, l'une des grandes villas de la monarchie mérovingienne, le 13 décembre, et les fêtes durèrent jusqu'au lendemain. La reine fut couronnée seulement le 25 août 866 à Saint-Médard de Soissons.

Ermentrude, pendant les vingt-cinq années de son union avec Charles le Chauve, se montra une épouse attentive et dévouée, proche de son mari, bien que celui-ci lui préférât les dernières années Richilde de Bourgogne, avec laquelle il entretint, avant de l'épouser, une liaison publique. La mésentente devint telle en 867 que l'épouse bafouée se sépara du roi et se retira à l'abbaye de Hasnon, où elle mourut le 6 octobre 869.

Ermentrude fut la mère de onze enfants. L'aînée fut baptisée Judith, en l'honneur de sa grand-mère paternelle. L'impératrice, seconde épouse de Louis le Pieux, cette femme dont l'ambition et l'aveuglement avaient causé tant de malheurs à l'Empire carolingien, était décédée le 19 avril 843 à Tours, et avait reçu des obsèques solennelles à la basilique Saint-Martin. Sa petite-fille homonyme naquit l'année suivante.

La vie de cette princesse fut un roman. En 855, le vieux roi de Wessex, Aethelwulf, allié de Charles II contre les envahisseurs normands, s'arrêta à la cour de France sur le chemin de Rome. À son retour vers l'Angleterre, il séjourna à nouveau près de Charles. Celui-ci, pour sceller leur alliance, lui donna sa fille en mariage. Elle avait douze ans. L'heureux mari l'emmena dans son île, où il trépassa deux ans après. Cette veuve de quatorze ans allait-elle retourner chez son père ? Aethelbald, fils et successeur d'Aethelwulf, ne le lui permit pas. Elle avait eu le temps de lui plaire. Il l'épousa. Les évêques anglo-saxons brandirent l'excommunication contre l'incestueux. Cette seconde union n'eut guère de suites canoniques : le second mari mourut à son tour deux ans plus tard, en 860. Cette fois, l'infortunée veuve, honnie par l'épiscopat et boudée par la noblesse, repassa la Manche pour retrouver son père. Il fut sévère. Sa fille n'avait pas reçu son autorisation pour son second mariage. Il la relégua dans sa forteresse de Senlis. Détention dorée, et qui n'excluait pas les rapports avec l'extérieur, même les rapports parlants. La jeune princesse ne s'ennuya que deux années, au bout desquelles le comte Baudouin de Flandre, dit Bras de Fer, amoureux d'elle, l'enleva.

Contracterait-elle un troisième mariage ? Vain espoir : une telle union avait contre elle une opposition politique, car Baudouin était le vassal du roi ; et une opposition religieuse, à cause de l'accusation de rapt qui le frappait. Mais déjà les deux fiancés, parvenus à Rome, se jetaient aux pieds du pape Nicolas Ier, devant lequel Judith, heureuse d'avoir échappé à sa geôle, déclarait avoir suivi librement son séducteur. Bon enfant, le pape consentit à absoudre les fugitifs, et autorisa leur mariage. Le roi Charles ne pouvait plus l'interdire. Il attendit pourtant encore deux ans pour accorder son consentement.

Judith ne jouit pas longtemps de son statut de comtesse de Flandre. La maladie l'emporta dès 871. Baudouin Bras de Fer la suivit dans la tombe en 877. Ils ne souffrirent pas du déshonneur infligé à leur fils, Baudouin II, qui se comporta en brigand, ravisseur des biens d'Église et assassin de Foulque, archevêque de Reims.

La naissance de Judith fut suivie par les naissances successives de quatre garçons : Louis, dit le Bègue, en 846, qui fait l'objet de cette biographie ; Charles, l'année suivante, roi d'Aquitaine dès l'âge de huit ans, et mort à dix-neuf ans après un conflit politique avec son père ; Carloman en 849, et Lothaire en 851, mort à quatorze ans, voués tous deux à l'état ecclésiastique pour laisser les trônes à leurs deux aînés.

Ce seront ensuite, comme pour préserver l'équilibre des sexes, quatre filles : Ermentrude, qui deviendra abbesse de Hasnon ; Hildegarde ; Gisèle ; Rotrude, future abbesse de Sainte-Radegonde à Poitiers.

Pour finir, Ermentrude mit au monde deux pauvres jumeaux, Drogon et Pépin, qui moururent peu après leur naissance d'une même maladie, en 865.

En 867, Ermentrude se sépara de son époux, lasse et peut-être déjà malade. Charles vivait probablement déjà dans une situation quasi matrimoniale avec Richilde. Il ne pouvait cependant l'épouser, puisque son premier mariage n'était pas rompu, et il ne chercha pas à en faire reconnaître une quelconque invalidité. Il préféra attendre patiemment la mort de l'épouse légitime. Cette attente ne dura que deux ans.

Au début d'octobre 869, Charles le Chauve se trouvait à Douzy, sur la Meuse, en Lotharingie, où il présidait une réunion de seigneurs de la région après la mort du second Lothaire. Des messagers vinrent lui annoncer le décès d'Ermentrude, survenue à Saint-Denis. Événement propice à un nouveau mariage. La fiancée était trouvée : Richilde (Richeut), fille du comte Bivin, abbé laïc de Gorze, près de Metz.

Le frère de Richilde, à ce moment auprès du roi, était Boson, comte de Lyon et de Vienne, frère également de Bernoin, archevêque de Vienne et de Richard le Justicier, comte d'Autun, prochainement premier duc de Bourgogne. Inutile de préciser que la jeune femme était consentante : elle attendait impatiemment cette bonne fortune. Les fiançailles furent célébrées le 12 octobre, le mariage contracté le 22 janvier 870 à Aix-la-Chapelle. La capitale de Charlemagne était devenue la capitale de Charles II depuis que celui-ci s'était proclamé roi de Lotharingie.

Même si Charles nourrissait de tendres sentiments pour Richilde, il ne faisait pas un mariage d'amour, mais une union essentiellement politique. Ce souverain calculateur s'alliait à une nouvelle famille aristocratique, puissante surtout en Lotharingie et en Italie. Richilde, épouse de

Bivin et mère de la nouvelle reine, était la veuve du roi Lothaire II. Parenté qui pouvait sembler conférer une sorte de droit d'héritage.

Désormais, Charles le Chauve espère engendrer un nouveau fils. Ceux que lui avait donnés Ermentrude étaient décevants. Pénible déception : Richilde n'avait pas la fécondité d'Ermentrude. Son premier enfant, un an environ après son mariage, fut une fille, Rothilde. On ne lui fit pas contracter une alliance avantageuse. Elle épousa Roger, comte du Maine, héritier de Gauzlin, lui-même neveu de l'évêque de Paris.

La reine resta ensuite quatre ans sans promesses de maternité. À la fin de 874, on annonça une grossesse. Mais Richilde accoucha en mars suivant d'un enfant prématuré, un fils qui ne survécut pas. Durant l'été de 876, un nouvel espoir survint : la reine se trouvait une nouvelles fois enceinte. En octobre, elle accoucha encore d'un enfant prématuré. C'était un fils. Ne pouvait-on pas l'aider à vivre ? Il survécut, mais jusqu'en janvier. Ce fut la dernière maternité de Richilde.

Lourde épreuve pour le roi Charles. Non seulement il perdait un fils dans lequel il avait placé son espoir, mais il ne lui restait plus qu'à laisser son héritage à son aîné, ce Louis le Bègue désobligeant et incapable, qui lui avait causé tant de déceptions.

DEUXIÈME PARTIE

LOUIS LE BÈGUE ROI DE NEUSTRIE

856-862

I

L'ENFANCE
846-856

Louis le Bègue naquit de Charles II le Chauve et d'Ermentrude d'Orléans le 1er novembre 846. On ne sait rien de plus là-dessus. Nul chroniqueur ne nous a renseignés sur les circonstances de cette naissance.

Il en va de même pour ses dix premières années. Nous connaissons en détail, grâce aux *Annales de Saint-Bertin* et au *Recueil de Charles II le Chauve,* les aventures de sa sœur Judith, née deux ans avant lui. Car, pour les annalistes, les mariages et les scandales successifs d'une princesse royale sont matière à mémoire. Pour le jeune Louis, premier-né du roi, il n'y eut sans doute pas d'aventures dans sa prime jeunesse. Il fut pourtant le témoin, au moins auriculaire, et parfois le spectateur des événements dont son père fut l'acteur. Ce sont eux qu'il faut ainsi résumer.

Par le traité de Verdun, et par la ténacité qu'il avait employée à triompher de son indigne frère aîné, Charles le Chauve était devenu le souverain le plus considéré d'Europe. Il n'avait plus d'ennemis, après ces guerres

37

fratricides et cette paix si chèrement acquise, chez les princes d'Occident. Mais il avait affaire à un ennemi plus redoutable encore, les vikings, pirates danois intrépides et obstinés, qui avaient sous Louis le Pieux commencé leurs incursions et leurs dévastations sur les côtes de l'Empire.

En 845, l'année qui précédait celle de la naissance du prince Louis, un chef scandinave fameux, nommé Ragnar, remonta avec son corps de marins le cours de la Seine, déjoua les manœuvres des seigneurs francs, et parvint à Paris le 29 mars, en la fête de Pâques. La ville ne put résister au choc. Tous les monastères et les églises furent mis à sac.

Ne se voyant pas assez puissant pour maîtriser cette invasion, Charles le Chauve décida de traiter avec l'ennemi. Ce n'était pas une attitude très glorieuse, et certains critiques prétendaient qu'il était préférable de mourir au combat. Mais les hommes d'armes défenseurs de la France n'étaient pas seuls en cause. Ceux qu'il fallait préserver, c'étaient des centaines de milliers de sujets, paysans, clercs, bourgeois, qui, lors de l'assaut des villes, ne manqueraient pas de tomber sous les coups des Barbares. C'était aussi la prospérité des campagnes, où les récoltes étaient incendiées et le bétail abattu. Et d'ailleurs, que ce fût avec ses frères ou avec un païen, la voie de la diplomatie était une source habituelle de paix. Charles acheta la paix à Ragnar pour la somme somptueuse de sept mille livres d'argent.

Les Barbares respectèrent le traité pendant deux ans. Loyauté digne d'admiration pour des gens qui ne respectaient rien. D'ailleurs, quand ils reprirent leurs agressions et leurs pillages, ils respectèrent d'une certaine façon leur engagement. Car ils ne saccagèrent plus la Neustrie, sur laquelle régnait Charles II, mais l'Aquitaine, duché subordonné dont le souverain était Pépin II, révolté et déposé. Ce faisant, les agresseurs semblaient se faire les alliés du roi de France contre un vassal indigne.

Ce fut ainsi qu'une flotte danoise s'engouffra dans la Gironde et parvint à Bordeaux, qu'elle assiégea. Loin de tenir ces féroces pillards pour ses alliés contre Pépin, le roi Charles décida d'intervenir contre les agresseurs de Pépin ennemi national. Il y mit trop de hâte. Il assembla son ost sans tarder, et parvint devant Bordeaux. Hélas ! les assiégeants étaient une telle multitude que tout espoir de les réduire était vain. Charles fit demi-tour, et Bordeaux tomba aux mains des païens.

L'année 855 marqua un nouvel événement dans la configuration de l'Europe. L'empereur Lothaire, atteint d'une maladie mortelle, décida de partager ce qu'on appelait son empire, bien qu'il couvrît une superficie égale au tiers de celui de son père. Son fils aîné, Louis II, avec le titre d'empereur, héritait de la seule Italie : un tiers de ce tiers. La partie de majorité germanique, qui s'étendait de la mer du Nord jusqu'au Léman, allait au second fils, Lothaire II, âgé de dix-huit ans, et possédait l'avantage de contenir la capitale impériale, Aix-la-Chapelle. Comment appeler ce second tiers du second empire ? Simplement du nom de son souverain : *Lotharingie*, mot déformé par les Français en *Lorraine*. Cadeau redoutable : ce royaume situé entre ceux de Charles le Chauve et de Louis le Germanique devait exciter la convoitise de ces deux oncles, d'autant plus qu'il n'avait aucune unité ni géographique, ni historique. La troisième part échut au plus jeune fils de Lothaire, Charles, âgé de dix ans. Encore enfant et sujet à des crises d'épilepsie, on lui donna pour précepteur et ministre, qui devait gouverner à sa place, un héros d'épopée, Girart de Vienne. Cette retraite de l'empereur Lothaire, coupable d'avoir naguère mis à feu et à sang, par son ambition et sa déloyauté, l'Empire carolingien, préparait maintenant de nouvelles rivalités et de nouvelles luttes.

Pour le moment, la situation n'en était pas là. Le danger commun restait sur les côtes de la mer du Nord et de l'Atlantique, où Charles le Chauve et son neveu Lothaire II devaient porter leurs armes contre les nouveaux assauts scandinaves. En 853 déjà, un chef de flotte danois, Sidroc, remontant le cours de la Loire, avait pris Blois, et continuait son avancée. Écarté d'Orléans par l'évêque Agius, il se transporta sur la Saône, rivière frontière entre la France et la Lotharingie. Repoussé encore de cette région, il gagna la Normandie et mit le Perche au pillage. Ce fut là que le roi Charles, qui avait eu le temps de rassembler une armée, l'atteignit et dispersa ses troupes.

Le viking n'était pas rejeté à la mer. Refoulé vers la Seine, il y jeta ses barques, remonta le courant jusqu'à Paris, place mal défendue, qu'il prit, pilla et brûla le 28 décembre. Puis, plus rapide que les Francs qui se portaient tardivement au secours de la ville, il redescendit le cours de la Seine, et s'arrêta à Jeufosse, en aval de Vernon, dans l'actuel département des Yvelines. Là, il choisit, pour en faire son quartier général et sa réserve, une île surnommée Oscelle, d'où il pourrait ensuite lancer des expéditions meurtrières.

Pendant ces années où Charles le Chauve consolidait difficilement son nouveau royaume, Louis le Bègue, son fils aîné, bien que très jeune encore, ne pouvait que recevoir des échos de ces faits d'armes. Où ce prince grandissait-il ? On peut imaginer que ce fut auprès de Senlis où était reléguée sa mère. Mais encore ? Nous ignorons où Ermentrude se retirait pendant les campagnes militaires. De toute façon, les reines, en ce temps déjà, préféraient laisser leur progéniture entre des mains mercenaires, valets, nourrices et, au-dessus de ce personnel subalterne, gouverneur.

Il est d'autant plus difficile de trouver une résidence royale où l'enfant grandissait, que le roi en possédait une douzaine dans la seule Francie, entre la Manche et la Meuse. Il n'avait pas de capitale, et attendait le jour où, grâce à la faiblesse de Lothaire II, il s'emparerait d'Aix-la-Chapelle.

Ces domaines royaux comportaient une villa centrale, richement meublée, qui chez certaines prenait l'allure d'un palais, et un territoire où pouvaient s'assembler des troupes. Les deux principaux étaient Compiègne et Quierzy. Compiègne se trouvait alors dans une période d'embellissement et d'agrandissement, qui laissait supposer que le roi comptait en faire sa résidence principale. Quierzy, très vaste, au confluent de l'Oise et de l'Aisne, permettait de recevoir les ambassadeurs et de regrouper des contingents avant une expédition guerrière. C'était là que Charles le Chauve avait épousé Ermentrude.

Verberie, sur l'Oise, à trois lieues au sud de Compiègne, permettait aussi des réunions et des réceptions importantes. C'était là que s'était éteint Charles Martel, père de la dynastie. Pîtres, sur la Seine, dans l'actuel département de l'Eure ; Ponthion, sur la Marne ; Ver, encore sur l'Oise, où s'était tenu le concile de 844 ; Servais, près de l'Aisne encore, non loin de Chauny, étaient pour le roi des haltes propices à un court repos entre ses expéditions. Peut-être était-ce ici ou là qu'il faisait élever ses fils.

II

LE PARTAGE ET LES FIANÇAILLES

Charles le Chauve, selon une tradition dynastique, était décidé à créer, à l'intérieur de son vaste royaume, des royaumes intérieurs et subordonnés. En 855, il conçut donc un partage d'une partie de la France Occidentale. Les rois mérovingiens, eux aussi, pratiquaient le partage du territoire. Mais d'une tout autre façon : à la mort du père, à titre d'héritage.

Charlemagne considéra cette pratique selon sa propre optique. Son empire couvrait une superficie égale au triple du royaume de Charles le Chauve. Pour en faciliter le gouvernement, et pour éviter à l'avance les rivalités entre ses trois fils vivants à ce moment, il procéda à un découpage du territoire dès 806, trente-huit ans après son avènement. Cette décision fit l'objet d'une charte, publiée le 6 février 806. Dès l'exorde, il signifie ses intentions :

« Nous souhaitons, par la grâce de Dieu, laisser ces mêmes fils, de notre vivant et après notre décès, héritiers de notre royaume et de notre empire. Ne voulant pas toutefois leur transmettre ce royaume dans l'indivision et sans règle, comme un sujet de controverse, mais en partager tout le corps en trois parties, assignant à chacun d'eux celle qu'il doit régir et protéger. »

Suivait la description du découpage, avec une grande minutie qui montrait que Charles connaissait précisément la géographie de son empire. À Louis, futur Débonnaire, son troisième fils légitime, tout le sud-ouest de l'Empire, c'est-à-dire Aquitaine, Gascogne, Marche d'Espagne, Septimanie, Bourgogne et Provence. À Pépin, second fils, l'empereur attribuait tout le sud-est de l'Empire : Italie, Istrie, Dalmatie, Alamanie, Bavière, Carinthie. Enfin, à Charles, l'aîné, tout le nord de l'Empire : Francie, Austrasie, Neustrie, Thuringe, Saxe, Frise.

En réalité, ces attributions avaient été déjà constituées, dès 781. Mais il ne s'agissait pas alors officiellement de partage. À Rome, durant les fêtes de Pâques, le pape Adrien Ier procéda au sacre des deux fils cadets de Charlemagne : Pépin[1] comme roi d'Italie, Louis comme roi d'Aquitaine. Charles, leur aîné, restait héritier du trône impérial. Par ce double geste, Charlemagne se gardait bien de mutiler l'unité de l'Empire. Il tenait, d'une certaine façon, à conférer un caractère sacré à ses fils non désignés comme ses héritiers à l'Empire, et à donner aux régions les plus éloignées d'Aix-la-Chapelle des responsables de l'ordre et de la défense, choisis parmi les princes impériaux.

La charte de 806 renouvelle cette attribution des trônes et lui donne un caractère d'institution d'État. Décisions anticipées et sans lendemain : l'héritier Charles et Pépin

---

1. Ce prince s'appelait primitivement Carloman. Ce fut le pape qui, avec l'autorisation de l'empereur, changea ce nom en Pépin, en hommage à Pépin le Bref, père de Charlemagne et bienfaiteur du Saint-Siège.

d'Italie moururent tour à tour avant leur père. Louis, dit le Pieux, resta sur son trône d'Aquitaine seul héritier de son père, auquel il succéda par nécessité en 814.

Louis le Pieux n'avait ni l'autorité, ni le génie administratif de son père. Quand il se vit haussé à la tête de ce grandiose empire, il constata qu'il était incapable de le gouverner. Il se trouva contraint, à la fois pour compter sur le zèle de rois subordonnés et pour préparer sa propre succession, de partager l'Empire. Non pas, comme son père, après trente-huit ans de règne, mais après trois ans seulement, alors qu'il se trouvait dans la force de l'âge, en 817.

La distribution ressemblait à celle de Charlemagne. À ce moment, le nouvel empereur avait aussi trois héritiers. L'aîné, Lothaire, âgé de vingt-deux ans, fut associé à l'Empire. Le second, Pépin, à peu près quinze ans, fut déclaré roi d'Aquitaine, comme son père en 806. Restait Louis, onze ans. On ne pouvait lui donner la couronne d'Italie, que portait Bernard, fils du défunt Pépin. On créa pour lui le royaume de Bavière. Pour obtenir ces transformations, Louis le Pieux ne se sentit pas l'autorité de son père. Il ne promulgua pas tout de suite une charte ; il soumit la décision à une assemblée des Grands de l'Empire réunie à Aix-la-Chapelle. Elle ratifia le vœu du souverain, qui signa alors une charte, le 9 juillet 817.

L'originalité de cette charte, par rapport à celle de 806, c'était la nette affirmation de la suprématie de l'empereur. Les trois rois d'Italie, d'Aquitaine et de Bavière lui étaient subordonnés, et devaient lui faire acte de soumission.

Charles le Chauve reprit le principe politique de son aïeul et de son père. Il n'en avait pas le même motif : son royaume, d'une superficie beaucoup moindre que l'Empire, pouvait être gouverné par un souverain intelligent et actif sans recourir à un morcellement du territoire. Il se trouvait doué de ces qualités. Mais la situation politique avait changé. L'autorité royale était menacée à la fois à l'extérieur, où un royaume de Lotharingie, attribué à l'un de ses neveux, semblait une menace, et de l'intérieur, où Pépin II, fils du roi Pépin d'Aquitaine, devenu roi d'Aquitaine à la mort de Louis le Pieux, exigeait de succéder à son père.

Charles II était donc décidé à créer des royaumes subalternes qu'il attribuerait à ses fils. Le choix de ces royaumes ne pouvait être le même que sous les règnes précédents, puisque, en cette année 855, l'Italie appartient à l'empereur Louis II, l'Alamanie à Lothaire et la Bavière à Louis le Germanique. Les royaumes attribués seront donc taillés à l'intérieur de la France Occidentale. Charles le Chauve avait d'ailleurs trois rois à pourvoir, comme Charlemagne, comme Louis le Pieux. Certes, ils étaient bien jeunes : Louis avait neuf ans, Charles huit ans, Carloman six ans. Mais Louis le Pieux n'avait-il pas été sacré roi d'Aquitaine à l'âge de trois ans ? L'important, c'était de donner comme tuteurs et administrateurs à ces rois enfants des ministres loyaux et capables.

De toute façon, trois royaumes subalternes eussent été trop importants à l'intérieur de la nouvelle France. Deux suffisaient. C'étaient la Neustrie, royaume sous les derniers Mérovingiens, duché pour Robert le Fort, défenseur du territoire contre les Normands ; et encore l'Aquitaine. La Neustrie serait attribuée à Louis, le jeune Bègue, héritier de son père, et l'Aquitaine à Charles. Quant à Carloman, on en ferait un clerc. Il deviendrait évêque, situation toute satisfaisante. Ainsi avait fait le grand-père Charlemagne pour ses plus jeunes fils, nés d'unions morganatiques. Drogon, fils de Régine, était devenu évêque de Metz et archichancelier de l'Empire. Hugues, lui aussi fils de Régine, avait fait un abbé de Saint-Quentin et un archichapelain de l'Empire. Deux autres, deux petits derniers, Théodoric et Richbod, étaient entrés à leur tour dans la cléricature.

46

Dès 854, son plan étant dressé, Charles le Chauve commença à le mettre à exécution en réglant son sort à Carloman. Il le fit tonsurer, en attendant de lui trouver une dignité ecclésiastique, qui serait l'abbatiat de Saint-Médard de Soissons.

Pour les deux princes promis à la couronne royale, l'exécution du programme (couronnement, installation, constitution d'un gouvernement) était fixée, semble-t-il, à l'année 856. Dès 855, les Aquitains forcèrent la main du roi. Les Grands lui envoyèrent une délégation qui lui réclama fermement un souverain qui serait leur roi à eux. Démarche honorable, qui ne pouvait qu'incliner le Chauve. Car, préférant lui demander cette faveur plutôt que se l'octroyer eux-mêmes, les Aquitains montrèrent leur soumission à l'autorité carolingienne. L'Aquitaine, avant cette démarche, avait passé par bien des statuts et des tribulations. Sous les Mérovingiens, contrairement aux trois régions devenues royaumes dès les fils de Clovis, la Neustrie, l'Austrasie et la Bourgogne, elle n'avait pas formé un quatrième royaume, malgré ses frontières naturelles fortement marquées : la Loire, le Rhône, les Pyrénées. Le premier roi mérovingien à qui appartint cette initiative fut Dagobert le Grand qui, en 629, à la mort de son père Clotaire II, au lieu de partager le royaume avec son frère cadet Caribert, lui constitua une vice-royauté sur le territoire qui était à peu près celui de la double province aquitaine chez les Romains.

Dagobert supposait qu'il n'avait conféré à son frère qu'un pouvoir personnel et non transmissible. Mais les fils de Caribert s'instituèrent ducs et proclamèrent leur indépendance du pouvoir royal. Eudes, fils du duc Loup, se vit contraint en 732 d'en appeler à Charles Martel pour s'opposer à l'invasion des Sarrasins. Les successeurs d'Eudes, Hunald, puis Waïfre, luttèrent contre Pépin le

Bref. Finalement, en 778, Charlemagne réunit l'Aquitaine à son royaume.

Ce fut pour en faire, trois ans plus tard, un royaume tributaire pour son fils Louis. Lequel, dans son fameux partage de 817, reprit son propre royaume d'hier pour l'attribuer à son fils Pépin. La guerre entre les héritiers, qui suivit le partage, fut une nouvelle occasion pour l'Aquitaine de changer de mains. Le roi Pépin, révolté contre son père et coupable de crime de lèse-majesté, était embarrassant. Tout heureusement, il mourut en 838. Louis le Pieux attribua son royaume à son plus jeune fils, Charles le Chauve.

Or, Pépin avait deux fils qui, eux, étaient vivants. L'aîné, qui portait le nom de son père, se prétendit son héritier, considérant ainsi Louis le Pieux comme un monarque injuste et Charles le Chauve comme un usurpateur. En 840, quand son père mourut, il se proclama roi sous le nom de Pépin II, soutenu par une partie de la noblesse régionale. Contre Charles le Chauve, il s'allia à l'empereur Lothaire, qui lui promettait de le garder sur son trône. Ce fut pourquoi, lors de l'atroce bataille de Fontenoy-en-Puisaye, il joignit ses forces à celles de Lothaire, et fut vaincu avec lui. Quand les trois frères ennemis, par le traité de Verdun, consentirent enfin à la paix, l'Aquitaine fut confirmée à Charles le Chauve.

Pépin II, rejeté, ne se tint pas pour battu. Plus que jamais, il revendiqua le royaume d'Aquitaine et décida de le récupérer par les armes. Au début de 844, ses partisans s'emparèrent de Toulouse. Charles proclama le ban, passa la Loire, s'assura de Tours, puis de Limoges, et alla mettre le siège devant Toulouse. Il échoua. Il préféra alors traiter de l'affaire diplomatiquement. Il rencontra Pépin en décembre 845 à Saint-Benoît-sur-Loire. L'un et l'autre composèrent. Le roi laissa au révolté, avec le titre de duc, la partie méridionale de l'Aquitaine, pour laquelle il prêtait hommage au roi. Celui-ci gardait la partie septentrionale, avec le Poitou, la Saintonge et l'Angoumois. Pépin émit le serment de fidélité, et promit à Charles « de l'honorer comme son oncle et son seigneur ».

À la nouvelle de ce traité défavorable à l'intégrité et à l'indépendance de l'Aquitaine, les partisans de Pépin déclarèrent ne pas s'y soumettre, et l'excitèrent à reprendre la lutte. Celle-ci fut décousue et maladroite. Charles avait des soucis plus urgents, en face de ses frères, que de guerroyer contre son neveu. Il tint pourtant à s'assurer de la fidélité de la noblesse d'Aquitaine. En 849, il convoqua à Limoges une assemblée des Grands, qui lui rendit l'hommage de la vassalité. Il assiégea à nouveau Toulouse, défendue par Frédelon, lui-même institué par Pépin gouverneur et comte de Rouergue. Frédelon opposa une faible résistance, pour la forme, et ouvrit les portes de la ville au roi, qui maintint le comte dans ses bénéfices et prérogatives.

Pépin restait rebelle et prétendant. Ce fut une autre guerre qui l'abattit, celle qui se perpétrait entre chrétiens et Sarrasins en Espagne, et à laquelle il fut mêlé malgré lui. À ce moment, les hostilités n'opposaient pas seulement les chrétiens aux Sarrasins, mais les chrétiens aux chrétiens et les Sarrasins aux Sarrasins. Moussa, seigneur de Saragosse, était entré en conflit avec son supérieur, l'émir de Cordoue Abd er Rahman. Il jugea utile de s'allier à Eneko Arista, roi chrétien de Pampelune, lequel avait des démêlés avec Sanche de Navarre qui, assagi, se rangea parmi les vassaux du roi de France. Pour se venger de Pépin, qu'il considérait l'avoir abandonné dans cette affaire, il lui tendit un piège en 852, près d'Angoulême, et le captura. Il fut aussitôt livré à Charles le Chauve, qui le fit tonsurer et enfermer dans le monastère Saint-Médard de Soissons.

Le roi Charles récupérait enfin l'Aquitaine. Et il concevait aussitôt le projet d'installer sur ce trône l'un de ses fils. Pourquoi pas Charles, son puîné ? Or, si le duc coupable se trouvait maintenant privé de son pouvoir, il

gardait en Aquitaine de chaleureux partisans, qui résis-
tèrent à l'autorité du roi de France. C'était le moment où
les relations se refroidissaient entre Charles le Chauve et
son frère Louis le Germanique. Qui prit en premier le
contact entre ce souverain et l'Aquitaine rebelle ? Fussent
les seigneurs aquitains qui allèrent réclamer le secours du
Germanique ? Fut-ce celui-ci qui, pour trouver des alliés
et des agitateurs au sud du royaume de Charles, envoya
outre-Loire des représentants ?

Le fait est que Louis le Jeune, second fils de Louis le
Germanique, osa traverser la France Occidentale pour se
rendre en Aquitaine et rencontra les principaux adversaires
du roi régnant, conduits par Ébroïn, évêque de Poitiers.
Les espoirs de collaboration qu'il tira de ces entretiens
furent décevants. Ses interlocuteurs manquaient par trop
de crédibilité. Il retourna à Ratisbonne sans illusions.

Un événement changea son appréciation. En 854, alors
que Charles le Chauve comptait sur la vigilance de l'abbé
de Saint-Médard, un groupe de partisans de Pépin surgit,
libéra le prisonnier et le ramena sans dommage dans son
duché perdu. La nouvelle en parvint aussitôt à Ratisbonne.
Louis le Jeune se précipita en Aquitaine. Cette fois,
Charles le Chauve fut prévenu. Il envoya sur place un
détachement dissuasif. Le jeune Louis s'enfuit auprès de
son père.

Les principaux vassaux d'Aquitaine, las maintenant des
aventures de Pépin, de ses révoltes et de ses trahisons,
manifestèrent efficacement leur fidélité au roi de France.
Au printemps de 864, Raoul, comte de Poitiers, tendit un
piège au parjure, le captura et le livra au roi. Celui-ci réunit à Pîtres une assemblée des Grands du royaume chargée
de le juger. Il fut condamné à mort et interné à Senlis.

L'attribution du royaume d'Aquitaine avait été destinée
par Charles le Chauve à son fils puîné, Charles. Les intrigues

de Pépin II et l'ardeur combative de ses partisans avaient failli faire échouer ce projet. Mais, en 855, l'année qui suivit la deuxième évasion de Pépin, les seigneurs d'Aquitaine, renonçant à soutenir celui-ci, avaient réclamé pour roi Charles le Jeune, allant ainsi au-devant de son projet.

Le Chauve, réagissant aussitôt à la démarche des barons, organisa devant eux à Limoges une cérémonie solennelle d'intronisation. Il plaça auprès du petit roi, âgé de huit ans, un conseil de gouvernement qui restait soumis au roi de France, et qui comprenait notamment le comte Raymond de Toulouse et l'archevêque de Bourges Rodolphe.

Les péripéties qui se succédaient en Aquitaine, et qui menaçaient la royauté du jeune Charles, ne pouvaient faire oublier à Charles le Chauve l'autre attribution, celle qui était dévolue à son aîné Louis le Bègue, le royaume de Neustrie. Il projetait aussi de le fiancer, afin de conclure une alliance politique. En cette année 856, il n'avait pas encore trouvé la candidate. Ce fut une guerre qui la lui fournit.

La Bretagne était restée sans cesse rétive à la domination carolingienne. Ce qui faisait sa force, c'était son unité culturelle, politique et linguistique, qui se refusait à l'assimilation. Ce qui faisait sa faiblesse, c'était son morcellement en une quinzaine de comtés[1], dont les seigneurs tenaient eux-mêmes à leur indépendance.

Sous Louis le Pieux, un certain nombre de ces comtes autonomistes, considérant l'importance d'une unité politique sous une unique autorité, élurent pour roi l'un d'entre eux, Morvan. Lequel, vaincu par l'empereur, finit décapité. Il reçut un successeur dans la personne de Guiomar

---

1. Sous le règne de Louis le Pieux : Rennes, Aleth, Pondouvre, Penthièvre, Goëllo, Trécorrois, Plougastel, Léon, Cornouaille, Poher, Porhoët, Broërec, Poubels, Thuys, Retz, Nantes. Les noms et les territoires (par division ou réunion) ont varié ensuite.

(Gwiomarc'h) qui, défait à son tour en 823 par Louis le Pieux, alla faire sa soumission à Aix-la-Chapelle.

L'empereur, pour obtenir un vassal qui le représenterait au-dessus de l'ensemble des seigneurs armoricains, désigna à leur suffrage le comte de Vannes, Nominoé, auquel il décerna le titre de duc de la Bretagne. L'homme, bien qu'ayant juré fidélité à l'empereur, attendait une heure favorable au soulèvement contre la monarchie carolingienne. Cette heure lui sembla venue à la fin de 842. Les seigneurs bretons formèrent deux corps d'armée qui devaient se joindre en un lieu situé entre Rennes et Redon, l'un venant d'Aleth au nord, et commandé par Érispoé, fils de Nominoé ; l'autre parti de Nantes au sud, sous la direction de Lambert, administrateur franc du comté de Nantes. Reynald, comte franc auquel l'empereur avait confié le commandement de l'armée carolingienne, intercepta Érispoé et mit ses troupes en pièces. Le vaincu, dont les forces étaient maintenant renforcées par celles de Lambert, surprit l'ennemi dans son camp et le massacra.

Devenu roi de France, Charles le Chauve tint à mettre les chefs bretons à la raison. En novembre 845, il parvint avec un corps important dans le comté de Rennes, omettant (faute usuelle chez les Francs) d'envoyer des éclaireurs pour renseigner sur l'ennemi. Celui-ci surgit à l'improviste et attaqua à deux reprises l'armée franque, à laquelle il fit subir de lourdes pertes, notamment à Ballon, qui fut le nom d'une victoire nationale.

Charles le Chauve, utilisant enfin la diplomatie, proposa un accord : le roi reconnaissait la Bretagne comme un État libre et indépendant, et le duc des Bretons reconnaissait au roi la possession des comtés de Rennes et de Nantes. Nominoé refusa fièrement et, en 850, secondé par Lambert, s'empara tour à tour (sans traité) de Rennes et de Nantes. L'année suivante, il prit Angers, puis marcha sur Chartres, mais il mourut en route, terrassé par un mal soudain.

Charles le Chauve compta sur la disparition du chef pour mater les envahisseurs. Il réunit dans le comté d'Anjou une nouvelle force militaire pour infliger enfin à ces hardis Bretons la défaite qu'ils méritaient. Mais les Bretons avaient aussitôt élu pour duc le fils de Nominoé, Érispoé, qui, le 22 août 851, surgit sans crier gare et dispersa l'armée franque.

Il fallait donc traiter. Vainqueur et vaincu se firent face à la table des négociations. Charles s'humilia à reconnaître à son ennemi la possession des comtés de Rennes, de Nantes et de Vannes, et aussi, suprême renoncement, le titre de roi.

Les deux souverains se séparèrent animés l'un et l'autre d'une vive insatisfaction. Charles, vainqueur sur tant de champs de bataille, éprouvait une profonde amertume de se voir ainsi trois fois vaincu par un roitelet périphérique, chassé des territoires qu'il proclamait comme des fiefs, et déçu de ses propres combattants infidèles à leur valeur passée.

De son côté, le vainqueur ne se faisait aucune illusion sur son succès temporaire.

« Érispoé, en consultant le passé, écrit Déric, avait vu avec peine que, depuis le règne de Budic jusqu'au sien, il s'était fait un choc perpétuel entre l'empire français et celui de Bretagne ; que le premier avait entraîné, par son poids seul, la chute du second ; que celui-ci, trop faible par lui-même, n'entrerait en balance que par la supériorité du génie de ceux qui seraient à sa tête ; que les Bretons ne pouvaient se flatter d'être toujours conduits par de pareils chefs. Pour obvier à ces inconvénients et à d'autres qui semaient le trouble dans ses États, il résolut de donner sa fille en mariage à un prince de France[1]. »

C'est donc le vainqueur qui est devenu craintif, et qui va au-devant du vaincu. Certes, le roi de France ayant

---

1. *Histoire ecclésiastique de Bretagne*, Paris, 1847, t. II, p. 388.

plusieurs fils, non certes d'un âge nubile, mais bientôt décorés de titres souverains (le second n'est-il pas déjà roi d'Aquitaine ?), l'alliance à laquelle serait admis le roi serait non seulement flatteuse, mais encore prometteuse. De sa femme Mormoët, Érispoé avait eu deux enfants : un fils, Conan, mort en bas âge, et une fille, qui grandissait. Érispoé représenta à son interlocuteur que, s'il n'avait pas d'autre progéniture, cette fille deviendrait héritière de la couronne de Bretagne. Promesse qui, malgré son caractère aléatoire, ne pouvait que tenter le roi français.

C'était le moment de conférer au fils aîné un apanage important. Charles déclara le jeune Louis le Bègue duc du Maine, avec un vaste territoire comprenant non seulement le Maine et le pays chartrain, mais la vallée de la Loire entre Tours et Orléans : à peu près l'ensemble des pays entre Seine et Loire. Le tout lui conférant le titre de roi. Fut-il couronné ? L'ensemble des historiens de ce temps observe le silence là-dessus. Cependant, Simonde de Sismondi, dans son *Histoire des Français*, révèle avoir découvert une *Translatio sancti Ragnoberti episcopi Baiocensis*, dans laquelle est relaté le couronnement de Louis le Bègue[1]. Ce fut certainement une cérémonie discrète, organisée pour la seule légitimation du nouveau roi. Érispoé agréa aussitôt pour époux de sa fille ce bambin nanti de tels domaines. Le contrat fut scellé entre les deux souverains en 856, dans une entrevue qui les réunit à Louviers.

Ce beau projet et cette belle entente furent ruinés en peu de temps. Nominoé n'avait été proclamé par Louis le Pieux duc de Bretagne qu'aux dépens de son frère aîné, Rivallon. À la mort de Nominoé, le fils de Rivallon, Salomon, tenta de faire valoir ses droits. Mais les seigneurs

---

1. T. III, Paris, 1821, p. 188.

bretons, qui avaient élu Érispoé, et le roi de France, qui traita avec lui, méprisèrent ses revendications. Il décida alors de les défendre par les armes, et s'adjoignit un groupe de partisans qui menaçaient par leur attitude la péninsule d'une guerre civile.

Dans un premier temps, Charles le Chauve fit admettre aux rivaux une entente de façade, grâce à laquelle Salomon devenait duc d'une partie du royaume breton. On comprend mieux pourquoi Érispoé voulut traiter en son temps avec le roi de France et obtenir une alliance avec lui. Il suffisait que ce souverain soutînt son rival pour se voir promptement détrôné.

Cependant, Salomon n'était pas satisfait. Ce qu'il ambitionnait, ce n'était pas d'être duc en Bretagne, mais roi de Bretagne. Et il ne pouvait réaliser cette ambition qu'en supprimant le roi établi. Un jour, quelques mois après le traité de Louviers, Salomon et ses séides, parmi lesquels son principal complice Almar, dressèrent un guet-apens à Érispoé. Les gardes du corps de celui-ci tombèrent, lui sortit indemne de l'affrontement, put s'enfuir et se réfugia dans une église. Mais ses assaillants l'y poursuivirent, et le sacrifièrent au pied de l'autel. Puis, sans vergogne, Salomon abattit Almar. Il s'écria alors qu'il avait défendu héroïquement Érispoé, qu'Almar l'avait occis, et qu'il avait lui-même tué Almar pour venger son cousin.

L'explication laissait les Bretons incrédules. Mais, pour garder leur unité, ils acceptèrent ce nouveau maître. Quant à Charles le Chauve, peu lui importait la légitimité ou la déloyauté de ce meurtre, il perdait un allié et le beau-père de son fils. Sa stratégie envers la Bretagne était à reprendre. Sa première réaction fut d'appeler aux armes ses vassaux, et de prendre la route de la Bretagne pour y combattre Salomon. Chemin faisant, il put constater que ses guerriers manquaient d'ardeur et qu'ils n'étaient guère disposés à affronter une troupe d'hommes décidés, défenseurs de l'indépendance nationale. Il préféra traiter. Comme avec Érispoé. Un contrat fut conclu en 858 entre les deux souverains. À contrecœur, mais il était nécessaire pour l'un et pour l'autre.

Salomon craignait peu Charles, mais le jugeait redoutable comme soutien et garant d'un adversaire politique. C'était le roi de France qui avait fait la réussite d'Érispoé. De son côté, Charles trouvait fort dangereux cet ennemi potentiel pour son fils Louis, dont l'autorité sur l'apanage qu'il lui avait conféré était toute nominale. Le pauvre enfant, bègue et sans formation politique, n'avait aucune aptitude à défendre ses frontières.

Son titre de roi était d'autant plus mal porté que son père avait fait quelques années plus tôt de Robert le Fort, fils d'un comte d'Oberrhein, un marquis de Neustrie, chargé de défendre ce territoire contre l'invasion normande. En tant que tel, Robert était comte d'Angers, Blois et Tours. Le titre conféré au prince Louis englobait-il les territoires dévolus à Robert le Fort ? En ce cas, ce vaillant capitaine, chef des combattants contre l'envahisseur, devait-il se considérer comme un vassal de Louis le Bègue ?

Ce ne fut pas Robert le Fort qui protesta, sans doute plus occupé à défendre les frontières qu'à les contester. Ce fut Louis. Il n'avait guère qu'une douzaine d'années, mais les princes entraient tôt alors dans les querelles dynastiques et territoriales. Il faut surtout imaginer que ce furent ses conseillers, petits seigneurs du Maine et de l'Anjou, qui le poussèrent à s'insurger contre Robert le Fort, réputé occupant illégal de son royaume. Les forces que Louis déploya étaient d'une piètre importance, et se contentèrent d'escarmouches. C'était sans doute suffisant pour contenter l'amour-propre du roitelet.

La politique et la stratégie de Charles le Chauve aboutissaient en 858 à une confusion. Il oubliait que, si le viking représentait un ennemi digne d'être combattu, par la différence de sa civilisation, par sa cruauté, par sa violation du territoire français, le Breton était un allié par sa proximité géographique et religieuse, et les vassaux qui combattaient sous la conduite de Robert le Fort étaient des serviteurs de l'État qu'il fallait considérer et favoriser. Selon quelle hiérarchie des valeurs et quelles exigences devait-il traiter ces hommes mêlés à sa politique nationale ? Et dans quel intérêt national garder à son fils ce royaume inconsistant qui jouxtait à la fois la Bretagne et la marche de Neustrie ?

Salomon, dans le projet de venir à bout du roi de France, n'avait pas à se poser toutes ces questions. Sa stratégie, ce fut d'unir contre lui ses ennemis réels ou potentiels de l'ouest et du sud-ouest. Pépin d'Aquitaine se trouvait alors libre dans son duché, et plein d'une ardeur agressive contre Charles le Chauve. Il acquiesça aussitôt à la demande d'alliance que lui proposait Salomon. Robert le Fort, général loyal, mais insuffisamment soutenu dans sa lutte par un roi qu'il jugeait indifférent et incapable, se joignit à eux. Salomon poussa la hardiesse jusqu'à porter ses sollicitations aux chefs normands, ennemis de Robert. Les principaux, Wieland et Hasting, se montrèrent favorables à une action commune.

Des conjurés s'unirent à Robert. Deux d'entre eux, Eudes, comte de Troyes, et Adalard, abbé de Saint-Bertin, allèrent plus loin encore : ils s'adressèrent au roi Louis le Germanique et lui proposèrent de venir prendre le trône de France, pour s'y substituer à Charles le Chauve qui avait démérité de la royauté. Louis prit ses invitants au mot. Ne rencontrant aucune résistance, il progressa rapidement, passa le Rhin, avança jusqu'à Sens, s'installa dans la villa royale d'Attigny. Là, confiant dans les flatteries des rebelles, il réclama d'être couronné roi de France. Mais Hincmar, archevêque de Reims, et les autres évêques refusèrent d'entrer dans ce rôle. Sans sacre, le Germanique devait renoncer à la couronne et jouer le rôle d'occupant.

Pendant que son frère parcourait l'est de la France en quête d'un soutien religieux, Charles le Chauve, en cette année 859, rassemblait une armée. Il apprit que Louis avait établi son camp à Jouy, près de Laon. Il marcha sur lui et dispersa ses troupes. Sans appui, sans objectif, Louis fit demi-tour vers l'est, et ne s'arrêta qu'à Worms. Condamné par un synode d'évêques de France et de Germanie, il s'engagea à faire pénitence de sa trahison.

Charles reprenait le contrôle de son royaume. En 861, Robert le Fort, constatant l'obligation de regrouper les forces nationales contre l'ennemi du dehors, fit volontiers sa soumission au roi. Il joignit Wieland et le paya pour abandonner la lutte. Puis, apprenant qu'une troupe de partisans de Salomon pillait l'Anjou, il marcha sur elle et la massacra. Pendant ce temps, Louis le Bègue, roi impuissant, se tenait immobile.

Salomon comprit que le roi de France reprenait ses forces en main. Il lui demanda une entrevue, qu'il obtint en 863 à Entrammes, près de Laval, et prêta à son suzerain le serment de fidélité.

De son côté, Charles le Chauve, toujours plus généreux dans sa diplomatie, faisait à son adversaire un nouveau cadeau territorial. Il lui abandonnait l'espace compris entre la Sarthe et la Mayenne. En plein duché du Mans ! Ce souverain ne finissait pas de restreindre la superficie du royaume de Neustrie, attribué à un enfant qui n'était pas capable de déplorer et de se plaindre. Hier, il amputait ce royaume de toute sa partie Nord, reconnue fief de Robert le Fort ; maintenant, il en concédait la partie occidentale à un adversaire coriace qui ne se montrait jamais satisfait.

Il le constata bientôt. À peine avait-il prononcé ce serment qui l'assurait de la neutralité du roi de France à son égard, Salomon conclut une nouvelle alliance avec

Hasting. Ils joignirent l'une à l'autre deux bandes qui semèrent la désolation dans l'Anjou. Puis Hasting, ne recevant pas de résistance de la part de Charles le Chauve, et profitant de l'incapacité de Louis le Bègue, s'empara du Mans. La capitale du petit roi.

Si Charles le Chauve semblait ne pas s'émouvoir d'une telle rupture du traité d'Entrammes, Robert le Fort, lui, réagit. Il n'avait pas signé d'accord avec Hasting, et il tenait à jouer son rôle de marquis de Neustrie. Il conclut une alliance avec Ranulf, duc de Poitou. Les deux armées marchèrent sur Le Mans, l'une par le nord, l'autre par le sud. Hasting n'était pas assez fort pour résister. Il enjoignit à ses bandes de se disperser, et lui-même, avec son état-major, s'enfuit, accompagné de l'une d'entre elles, dans la direction de l'est.

Il se vit poursuivi. Il s'arrêta bientôt à Brissarthe, à une dizaine de lieues au nord d'Angers et, comptant sur le droit d'asile pour protéger même des païens, il s'enferma avec ses plus proches dans une chapelle. Robert parvint rapidement sur les lieux. Il massacra tous les Scandinaves épars autour du lieu saint. Et ceux qui s'y étaient réfugiés ? Inutile de violer l'asile consacré : il suffisait de le cerner et d'attendre la sortie de ses occupants. Ils finiraient bien par céder à la faim et à la peur.

À la nuit tombante, les Francs s'établirent autour de la chapelle. Quelques heures plus tard, Hasting, rassuré par le silence qui enveloppait son refuge, décida de s'en évader à la faveur des ténèbres. Il ne put traverser le camp ennemi sans réveiller ses occupants. Robert et Ranulf bondirent hors de leur tente, l'épée à la main, sans avoir eu le temps de revêtir leur armure. Ils furent transpercés l'un et l'autre par les armes des fuyards, qui purent disparaître.

Avec Robert le Fort, la France perdait l'un de ses plus valeureux défenseurs. Et le royaume fantôme de Neustrie, son plus précieux protecteur. Pour Charles le Chauve, il était temps, plus que jamais, de négocier. Il n'en prit pas lui-même l'initiative. Peut-être était-il découragé des trahisons de Salomon. Ce fut celui-ci qui s'en chargea. En 868, il envoya son gendre à Compiègne, où séjournait à ce moment le roi, pour négocier un nouvel accord. Charles ne put faire autrement que céder. Salomon promettait solennellement (mais que valaient ses promesses ?) de rompre avec les Danois. En échange, Charles lui abandonnait le Cotentin. Ce grand comté ne faisait certes pas partie du royaume de Louis le Bègue, mais son abandon constituait une nouvelle mutilation de la Neustrie, dans son étendue globale.

III

LE MARIAGE IMPROVISÉ

Charles le Chauve constatait que son fils aîné n'était pas satisfait. Il se compromettait avec les ennemis de son père ; il combattait les plus hauts vassaux occupés à défendre le sol. Que faire pour lui rendre la vie plus heureuse ?

Il est remarquable que le Chauve, comme d'autres souverains avant et après lui, nourrissait une vive prédilection pour son fils aîné, héritier de la couronne. Sa médiocrité et ses incartades ne le faisaient pas démériter aux yeux de son père. Il était le *primogenitus*, privilège qui justifiait toutes les faveurs. Il convenait beaucoup plus de le combler que de le châtier. En 860, comme il avait atteint l'âge de quatorze ans, son père lui attribua le bénéfice de l'abbaye Saint-Martin de Tours. Non pas certes un territoire, mais un revenu capable de faire son titulaire richissime.

Ce cadeau somptueux n'améliora pas les relations entre père et fils. Elles se détériorèrent quelque peu à l'occasion du mariage de Judith, fille aînée de Charles le Chauve. Quand la princesse, veuve une seconde fois d'un roi du Wessex, céda avec empressement, en 860, aux sollicitations du comte Baudouin de Flandre, il lui fallait, pour l'épouser, l'autorisation du roi son père. Or, elle savait pertinemment qu'il ne lui accorderait pas cette autorisation. Puisque celle-ci lui était nécessaire, pourquoi ne pas la demander à son frère ? C'était un roi lui aussi. Il avait dépassé les quatorze ans, sans doute, et c'était chez les souverains l'âge de la majorité. Judith s'adressa donc à son frère qui, flatté, l'autorisa. De quoi provoquer chez Charles le Chauve une colère redoutable.

Ce fut alors, en cette année 862 qui voyait tomber l'opposition paternelle, que Charles, second fils de Charles le Chauve et doté du trône d'Aquitaine, manifesta à son tour son autonomie. À peine plus jeune que son aîné, il venait d'atteindre ses quinze ans, et jugea qu'il était temps pour lui de contracter mariage. Il jeta les yeux sur la veuve (sans doute très jeune) d'un certain comte Humbert. Hincmar, qui nous fournit le renseignement, omet de préciser non seulement le nom de cette veuve, mais le titre de son époux défunt. Les historiens parviennent à déduire qu'il s'agissait du comte de Nevers. Charles, pas plus que sa sœur Judith dans semblable circonstance, ne demanda l'autorisation à son père, dont il savait recevoir un refus. Mais il était entouré d'un petit groupe de conseillers qui, pour le flatter et pour obtenir une autorité plus forte en face du roi de France, donnaient satisfaction à ses caprices. Peut-être même étaient-ce ces hommes qui l'avaient tourné vers cette jeune femme. Parmi ces conseillers, se trouvaient Hugues, abbé laïc de Saint-Germain d'Auxerre et son fils Étienne. Pour la forme, le jeune Charles requit d'Étienne l'autorisation de ce mariage fantaisiste et l'obtint.

Charles le Chauve fut à nouveau saisi de colère. Il convoqua aussitôt le coupable devant lui. Le jeune Charles préférait ne pas jouer l'affrontement. Il risquait la défaite, la déposition, peut-être l'emprisonnement. Il accourut devant son terrible père, déplora sa faute et fit sa soumission. On ne connaît pas la pénitence qu'il encourut. On sait qu'il retourna à son trône et à son épouse.

Une telle marque d'indépendance se révélait prometteuse. Elle servit d'exemple à Louis le Bègue. Ce que le cadet s'était permis, pourquoi pas l'aîné ?

Lui aussi, Louis, en 862, était majeur. Il avait atteint quinze ans au 1ᵉʳ novembre précédent. Et il brûlait sans doute, beaucoup plus que de prendre femme, de manifester son autonomie, lui aussi, à l'égard de son père. Il choisit, pour l'épouser, Ansgarde, fille du comte Hardouin de Bourgogne et sœur du comte Eudes de Châteauroux.

Charles le Chauve tonna. Mais Louis, au lieu d'imiter la soumission de son frère, se déclara responsable de ses actes. Et pour le prouver plus évidemment encore, il arma une troupe avec laquelle il attaqua les hommes de Robert le Fort. Puis, s'alliant avec Salomon, il dévasta l'Anjou. Repoussé de partout, l'écervelé consentit à se rendre. Il supposait que ce geste lui vaudrait l'absolution. Il n'en fut rien. Charles le Chauve lui retira la couronne de Neustrie et en fit un comte de Meaux. Il lui avait précédemment retiré la commende de l'abbaye Saint-Martin de Tours. Il lui accorda cette fois, pour compléter ses revenus, une abbaye plus modeste, Saint-Crispin de Meaux, sise sur le territoire de son apanage.

Pendant que Louis le Bègue, morfondu, méditait sur les conséquences fâcheuses de la rébellion d'un prince, son cadet, demeuré roi d'Aquitaine, apprenait le prix des plaisanteries stupides. En 864, à la fin d'une partie de chasse, cet adolescent, roi et époux, voulut mystifier l'un de ses vassaux nommé Alboin. Celui-ci possédait un beau destrier, digne de faire envie à un prince. Charles, transformant son aspect extérieur, se précipita sur le cavalier et le repoussa pour enfourcher sa monture. Alboin, ne reconnaissant pas cet agresseur sous son accoutrement, dégaina son épée et lui en porta un coup à la tête. Le chroniqueur qui raconte la scène, Réginon de Prüm, propose sans discussion cette explication. Il est permis pourtant de supposer que Charles, en adolescent inconséquent, a tenté vraiment de s'emparer d'un cheval qu'il convoitait, et qu'Alboin, en homme rude de ce temps, ne s'est pas gêné pour lui donner une leçon. Même mortelle au besoin. Ce n'est pas par simple maladresse qu'un chevalier frappe un voleur d'un coup impitoyable.

Le coup, en effet, fit de Charles le Jeune un infirme physique et mental, incapable de remplir ses devoirs de souverain, qui mourut de ses maux deux ans plus tard.

Le sort de ce royaume d'Aquitaine était exemplaire. Charles le Chauve, à la nouvelle de cette mort, ne remplaça pas le souverain. Il incorpora l'Aquitaine au royaume de France.

Restait tout de même le royaume de Neustrie, non pourvu lui aussi. Par l'effet, comme l'autre, d'une grave faute d'indiscipline. Charles le Chauve eut un geste curieux. Il ne rétablit pas Louis le Bègue sur son trône, mais il le renvoya dans son royaume, sans couronne et sans autorité. Il se contenta de lui accorder un ensemble de domaines et de bénéfices dignes d'un prince.

TROISIÈME PARTIE

LOUIS LE BÈGUE ROI D'AQUITAINE

867-877

I

LOUIS LE BÈGUE ROI
ET CARLOMAN DÉCHU

866-875

La mort de Charles le Jeune, fils puîné de Charles le Chauve, laissait libre le trône d'Aquitaine. Était-il indiqué de le pourvoir ? Une telle royauté, toujours tentée d'indépendance, avait jusque-là provoqué bien des soucis à ses prédécesseurs et à lui-même. Pourtant, un souverain inférieur, soumis au souverain principal, n'était-il pas le meilleur moyen de garder dans le royaume ce territoire inconstant ?

Pour le roitelet, un nom s'imposait : Louis le Bègue. Sa nomination à la tête du pseudo-royaume de Neustrie s'était révélée une source permanente de confusions et d'inconséquences. Il y avait d'abord l'empiétement du territoire de la Neustrie de Louis, centrée au sud, sur celui de la marche confiée à Robert le Fort, au nord. Il y avait eu la spoliation de plusieurs comtés au bénéfice des ducs de Bretagne. Ce qui finalement ramenait ce prétendu royaume à des frontières incertaines. En outre, dans cette situation inconfortable, le jeune Louis, insatisfait, se trouvait tenté en permanence de s'allier aux ennemis de son père, dont les plus redoutables étaient les Bretons.

Charles le Chauve, n'imaginant pas d'autre solution que le transfert de son fils aîné d'un trône sur l'autre, se résigna à l'adopter. Le jeune Charles était mort en septembre 866. Son père n'attendit pas plus de quatre mois pour installer son aîné sur ce trône.

Pour gagner l'autorité sur ses nouveaux vassaux, il convenait au nouveau souverain d'obtenir, en plus du sang royal, deux sources de légitimité : le couronnement et le consentement de ces mêmes vassaux. Les auteurs médiévaux ne parlent pas du sacre, geste qui aurait rendu le fils égal à son père. Nous apprenons seulement que Charles le Chauve fit couronner son fils, au cours d'une cérémonie qui eut lieu dans la villa royale de *Bellus-Paulliacus*. Il avait invité les plus importants seigneurs d'Aquitaine qui, après le rite ecclésiastique, vinrent poser le genou en terre devant le jeune roi pour lui jurer fidélité.

Astucieux, Charles le Chauve avait trouvé deux moyens de conserver le nouveau roi en tutelle. Le premier, ce fut de le garder auprès de lui, dans ses séjours et dans ses déplacements. Le souverain, tout nominal, n'eut pas de résidence fixe dans son royaume, où il aurait pu signer des décrets et rendre la justice. C'est pourquoi les chartes promulguées sous son règne portent deux signatures, celle de Charles roi de France, celle de Louis roi d'Aquitaine.

Le second moyen, ce fut de choisir lui-même les ministres et les administrateurs du royaume dans sa propre cour et parmi ses fidèles. Ce fut ainsi que, bien que portant le titre de roi et étant honoré comme tel, le jeune Louis le Bègue était condamné à une surveillance et une soumission qui écartaient toute rébellion et toute indépendance, et c'étaient d'autres personnages qui, installés dans la résidence royale de Toulouse, dirigeaient les affaires de l'État.

Il est vrai que la noblesse aquitaine était presque tout entière suspecte. Il était d'autant plus difficile de deviner et de combattre ces grands feudataires animés d'agressivité contre leur suzerain qu'ils jouaient souvent double jeu, feignaient le dévouement quand leur vie était menacée, et trahissaient dès qu'ils concevaient l'espoir de réussir leurs entreprises. Charles le Chauve affronta de la sorte, dès le début de son règne, un personnage particulièrement nocif. C'était Bernard de Septimanie, ainsi appelé parce qu'on avait ajouté ce duché au grand comté de Barcelone, fief carolingien. Appelé en 828 à Aix-la-Chapelle par la faveur de l'impératrice Judith, il y exerça le rôle de premier ministre et de gouverneur de l'enfant Charles le Chauve. Ce parvenu méprisant et autoritaire fut chassé d'Aix à la mort de Louis le Pieux et retourna sur ses terres d'Aquitaine. Pour préserver son avenir, il flatta en même temps Charles le Chauve et Pépin II, attendant de savoir lequel satisferait son ambition. Quand, en 844, il fut avéré qu'il trahissait le roi, celui-ci alla mettre le siège devant Toulouse. Pris au piège, Bernard crut candidement qu'il pouvait encore tromper son souverain et alla le trouver dans son camp. La réponse fut rapide : il fut saisi, condamné à mort et décapité. Cette exécution porta la terreur parmi les seigneurs de Septimanie, qui vinrent rendre hommage en tremblant au justicier.

Parmi ces vassaux, figurait un fils du félon, nommé lui aussi Bernard, qui espérait ne pas subir le sort de son père. Il reçut, en récompense de sa simulation, le comté d'Autun. L'année suivante, un soulèvement de la noblesse de Bourgogne le désigna parmi les agitateurs. Charles le Chauve réunit son ost et bondit sur le terrain. Bernard, préférant ne pas l'affronter, disparut et ne reparut plus. En revanche, son frère Guillaume, pris les armes à la main, fut en septembre 866 condamné à mort et aussitôt exécuté.

Le comte Girart de Bourges, simplement suspect à cause de sa mollesse à servir le roi, fut finalement chassé de son comté en 872.

Entre deux, Charles le Chauve avait installé au pouvoir à Toulouse son beau-frère Boson, avec le titre de chambellan. Un vice-roi en quelque sorte. Le roi y ajouta le comté de Bourges confisqué à Girart.

Louis le Bègue était ainsi enchaîné au pouvoir de son père. Celui-ci jugea que c'était insuffisant. Les gouverneurs et les conseillers du royaume d'Aquitaine étaient certes dans la main du roi des Francs, mais l'épouse et la belle-famille du jeune Louis n'étaient pas suffisamment aptes à seconder la politique de son père.

Louis avait épousé Ansgarde, fille de Hardouin, comte du Cotentin. Elle lui avait déjà donné deux fils : Louis, en 867, déjà âgé de quatre ans, et Carloman, tout juste un an. De quoi assurer la continuité de la dynastie. Le bénéfice ne suffisait pas aux yeux de Charles. Ansgarde cumulait deux défauts à ses yeux : elle avait été épousée sans son autorisation, ce qui la rendait d'une certaine façon illégitime, tandis que son mari se rendait coupable d'insoumission. Et elle avait peu de poids dans sa politique d'assainissement et d'unification. Que faire d'une noblesse de Neustrie, province qui, contrairement à l'Aquitaine et à la Bourgogne, lui était soumise ? Charles réclama à son fils de répudier cette femme indésirable, et lui en chercha lui-même une autre.

Il la trouva vite. Car, dans sa lutte contre la noblesse indocile de Bourgogne, il souhaitait se concilier sur cette terre d'importants seigneurs capables d'y établir son pouvoir. Il s'en trouvait plus d'un qui, pour adopter ce désir du roi, accepterait de lui offrir sa fille en mariage. Ainsi, pour le comte Adalard, vaguement possessionné en Bourgogne septentrionale, mais qui jouissait d'une forte influence dans toute cette région. Il avait une fille nommée Adélaïde. Charles demanda et obtint pour son fils sa main.

Le roi fit de son nouveau beau-père un comte palatin pourvu de missions diplomatiques. Le frère de ce seigneur, Wulgin, devint comte d'Angoulême. Un autre de ses partisans, Eccard, fut nanti des trois comtés d'Autun, de Mâcon et de Chalon. Les clercs dévoués eurent leur part. En 872, on note pour les évêques de Langres et d'Auxerre la donation de biens importants. En 875, le notaire royal Adalgar fut nommé à l'évêché d'Autun.

Louis le Bègue versa-t-il une larme sur le sort d'Ansgarde, renvoyée soudain sans une précaution et sans un dédommagement ? La malheureuse avait cessé de plaire au père tout-puissant, bien qu'instrument de la continuation de la dynastie. On ne lit même pas qu'un évêque, autour du Chauve, ait contesté un acte aussi cynique. Le pape lui-même fut-il informé ? Pour la répudiation de Teutberge, femme de l'empereur Lothaire, le pape Nicolas Ier avait lancé ses foudres contre le coupable. Cette fois, il ne semble pas qu'Adrien II, à ce moment en lutte contre le patriarcat de Constantinople, ait eu à se prononcer sur cette affaire scandaleuse.

Ce fut d'ailleurs à ce moment, c'est-à-dire en 870, qu'eut lieu une autre affaire, elle aussi fort grave dans son domaine, celle de Carloman, troisième fils de Charles le Chauve. Ce dernier, soucieux de ne pas favoriser des contestations pour l'héritage de son royaume, avait choisi un ensemble de précautions aussi maladroites que périlleuses. Il avait décidé de créer, pour ses fils aînés, des royaumes tributaires, mais en les limitant à deux. Dès 855-856, il avait fait de son second fils Charles un roi d'Aquitaine, puis de l'aîné, Louis, un roi de Neustrie. Préalablement, en 854, il avait pris la précaution de faire tonsurer Carloman, âgé de cinq ans, et destiné ainsi à obtenir des bénéfices ecclésiastiques. La mort de Charles, en 866, n'avait rien changé à ce dispositif. Le roi aurait pu, pour conserver cette institution de deux royaumes internes, attribuer à son troisième fils la couronne laissée par le second. La tonsure n'avait rien d'un engagement définitif, et permettait au sujet une place fort relative dans la cléricature. Suffisamment déçu par les deux roitelets qu'il avait institués, Charles le Chauve préféra n'en garder qu'un seul, pourvu du royaume d'Aquitaine et réduit à sa surveillance. Quand, peu après Carloman, lui naquit un quatrième fils, baptisé sous le nom de Lothaire, le père préféra ne lui laisser, à lui non plus, aucune possession territoriale, et le voua à son tour à l'état clérical.

Cette situation, si elle convenait à son père, ne convenait pas à Carloman. Devenu le second des princes royaux, il n'était encore qu'un abbé laïc de Saint-Médard de Soissons. Il protesta auprès de son père de sa condition humiliée. Le père prit la protestation au sérieux et, généreusement, lui octroya le bénéfice de trois nouvelles abbayes : Saint-Arnoul, Lobbes, Saint-Riquier. Mais quatre abbayes, même sources de revenus opulents, ne font pas un royaume. Carloman, animé de fiel et de rancune, entreprit de comploter contre son père. Lui aussi était un maladroit, et ses tentatives furent aussitôt éventées. Le complice du prince paraissait être l'évêque Hincmar de Laon, le neveu du célèbre archevêque Hincmar de Reims.

Il existait certes un contentieux entre ce prélat et le roi. Hincmar avait d'abord servi celui-ci honorablement. Par deux fois, il justifia sa confiance en participant à des réunions destinées à concilier Charles le Chauve avec son frère Louis le Germanique. Son attitude se gâta ensuite quand, atteint lui aussi par la cupidité, il confisqua quelques terres appartenant à des seigneurs mineurs. Mais ces seigneurs, ne le savait-il pas, étaient des protégés du roi. Celui-ci toléra pour le moment, attendant une attitude plus modérée de l'évêque. Ce fut alors que mourut l'abbé de Saint-Vincent de Laon. Charles désigna, pour lui succéder, un moine de Saint-Denis. Hincmar, mécontent, le refusa et lança contre lui les censures ecclésiastiques. Le roi ayant protesté, Hincmar excommunia plusieurs de ses conseillers. Le chapitre ayant protesté, Hincmar excommunia son chapitre.

C'en était trop. Charles le Chauve réunit à Verberie un concile comptant dix-neuf prélats, et cita devant lui l'évêque excité. Accusé et condamné à réparations, il en appela d'abord au pape, puis, celui-ci ayant confirmé la condamnation du concile, il s'employa à satisfaire ses juges. Tant et si bien qu'il fut absous et réhabilité.

Ce fut alors qu'on informa Charles le Chauve que son fils Carloman ourdissait un complot contre lui, et qu'il disposait même de moyens militaires. On ajoutait même que l'évêque Hincmar de Laon faisait partie du complot. Complice ou simple confident ? Questionné jusqu'à six fois par les envoyés du roi, l'évêque se refusa constamment à avouer sa participation, et même à condamner le complot. Attitude qui, en 871, provoqua la réunion d'un nouveau concile, cette fois à Douzy, devant lequel il comparut. Il n'y fut pas épargné : il fut déposé et condamné à la prison. Le plus cruel ne fut pas là. Des justiciers improvisés (furent-ils envoyés par le roi, furent-ils poussés par leur propre vengeance ?) s'introduisirent dans sa prison et lui crevèrent les yeux.

En 870, année qui précédait le sort d'Hincmar, Charles le Chauve avait, à sa façon, exercé sa justice contre Carloman. Ses envoyés ayant capturé le jeune prince, son père l'incarcéra dans son château de Senlis et lui retira ses bénéfices.

Certains courtisans de Charles estimèrent la justice du roi trop dure. Ils portèrent la plainte du prince déchu devant le pape Adrien II. Des avocats présentèrent la cause de telle façon que le pape prit le parti de l'accusé. Il n'osa pourtant s'adresser directement au roi. Il fit part de sa désapprobation à Hincmar de Reims, à la fois métropolitain et oncle du condamné. Il lui enjoignait de prendre des mesures contre le roi, et, si celui-ci résistait, de porter contre lui l'excommunication.

C'était trop. Hincmar aurait pu, habilement, faire connaître au pape la réalité des événements, et souligner la culpabilité du prince condamné. Portant l'affaire sur le plan politique, il le prit de haut, et réclama au pape de ne pas mêler les affaires de Dieu à celles de César. Si les affaires ecclésiastiques relevaient du pape, les affaires politiques relevaient du roi. D'ailleurs, si le pape lui-même était un prince régnant, qui donc lui avait constitué son royaume, sinon l'aïeul de Charles II, le grand Charlemagne ?

L'archevêque allait un peu loin, et risquait d'envenimer les relations entre le royaume et Rome. Certains conseillers de Charles le Chauve lui suggérèrent de consentir au pape une certaine satisfaction. Par exemple, libérer Carloman, objet du principal litige. Le roi commença par s'emporter. Puis, réflexion faite, il consentit. Il avait ruminé les conditions sous lesquelles le fils ingrat userait de sa liberté. Il devrait accompagner docilement son père dans son prochain grand voyage.

Ce voyage, d'une extrême importance, avait pour objectif une intervention dans les affaires du royaume de Provence. Celui-ci s'était constitué à la mort de l'empereur Lothaire, fils de Louis le Pieux. Ses trois fils s'étaient partagé l'Empire. Son troisième fils, le pauvre petit Charles, malade physiquement et mentalement, avait hérité de la partie qui, au sud de la Lotharingie, s'étendait du Léman à la Méditerranée : ce fut le royaume de Provence.

Le pauvre Charles mourut en 863. L'empereur Louis II annexa la partie méridionale du royaume, qui garda le nom de Provence. La partie septentrionale, qui prenait, comme d'autres terres au-delà, le nom de Bourgogne, tombait en la possession de Lothaire, roi de Lotharingie, mais restait entre les mains de Girart, comte de Lyon et de Vienne, qui avait été le tuteur et le premier ministre du jeune Charles. Le roi de France lui envoya quelques messages pour lui rappeler sa suzeraineté. Démarches que Girart ignora. Le vice-roi se prenait pour un roi.

Charles rassembla une armée et prit la direction du Rhône. Il n'omit pas, pour plus de sûreté, d'emmener ses deux fils, Louis le Bègue et Carloman, avec lui. En même temps qu'il les exerçait à l'art de la guerre, il les surveillait de près et les empêchait de comploter en Neustrie ou en Aquitaine.

Girart avait quitté Lyon, où il ne se sentait pas en sécurité. Le véritable maître de la ville était en effet l'archevêque Rémi. Dès que Charles se présenta, il lui ouvrit les portes. Girart, doutant d'ailleurs qu'il pût suffisamment défendre Vienne, avait abandonné la place, dont il avait laissé la défense à sa femme Berthe. Le siège menaçait d'être meurtrier. Là encore, ce fut l'autorité de l'archevêque Adon qui arrangea les choses. Il assura Berthe de la part de Charles que, si elle abandonnait la place au roi, elle-même et son mari auraient la vie sauve. Le 24 décembre 870, Charles le Chauve entrait dans Vienne.

Il s'appliqua à y imposer son autorité. Elle s'exerçait, dans cette moitié du royaume de Charles le Jeune, sur la rive droite du Rhône, de Lyon à l'embouchure du fleuve, qui se rétrécissait en entonnoir. Au nord, à l'ouest et à l'est de Lyon, le territoire s'élargissait sur plus de cent kilomètres, pour ne plus en compter qu'une trentaine, exclusivement sur la rive droite, au confluent de la Drôme. Il s'effaçait à une lieue de la Méditerranée, laissant Avignon, Arles et Aix à l'empereur.

Ce fut le duché français de Provence. Pour le gouverner, il convenait de trouver un homme sûr, à la fois habile et soumis au roi de France. Pour ce rôle, il choisit Boson. Ce seigneur pouvait être dit lorrain, puisqu'il était le fils de Bivin, abbé laïc de Gorze près de Metz. Il était surtout bourguignon. Sa mère était la fille d'un autre Boson, comte en Bourgogne. Ses frères étaient Bernoin, bientôt archevêque de Vienne, et Richard le Justicier, comte d'Autun et un jour premier duc de Bourgogne. Surtout, Boson était le frère de Richilde, la seconde femme de Charles le Chauve. Charles nomma son beau-frère comte de Vienne et duc de Provence.

Ce nouveau grand vassal, en qui il plaçait soudain sa confiance, le roi s'employa à lui trouver de nouveaux liens, à la fois récompense de sa fidélité et occasion d'implantation politique en Italie. L'occasion se présenterait seulement en 875, à la mort de l'empereur Louis II. Charles le Chauve mariera alors la fille unique de l'empereur à Boson, qui se proclamera, en 879, roi de Provence.

Pour l'instant, Charles prenait possession de son nouveau duché. Mais l'affaire Carloman n'était pas terminée. Pendant que son père se préoccupait de tout autre chose que d'un prince de vingt et un ans, celui-ci, avec quelques compagnons, quitta Vienne et gagna le nord du royaume. Il parvint ainsi dans l'évêché de Liège, hier terre de Lotharingie, récupérée depuis cette année 870 par le roi de France avant son départ pour le Midi, grâce au traité de Meerssen, conclu avec Louis le Germanique.

Le prince avait certes retrouvé sa liberté. Sa liberté physique. Mais il voulait recouvrer sa liberté politique, son indépendance. Comment l'obtenir ? Traiter avec son père ? Il le savait intraitable. Aussitôt retourné vers lui pour une quelconque tractation, il serait saisi et jeté dans un cachot. S'enfuir à l'étranger ? Il serait livré. Et quel souverain voudrait s'embarrasser de lui, au risque d'un conflit avec son père ?

La seule issue qui lui restait, c'était de reconquérir sa liberté par la lutte armée. En avait-il seulement le moyen ?

Il disposait d'une fortune suffisante pour payer des mercenaires. Il en recruta une armée – ou plutôt une troupe apatride capable de combattre quelques jours, même contre un roi de France. Mais après ?

La nouvelle parvint jusqu'au roi Charles, qui s'attardait en Provence. Il adressa un message à Hincmar de Reims pour lui demander de désarmer le rebelle. L'archevêque répercuta l'ordre à quelques Grands capables de lever des troupes importantes : Gozlin, abbé de Saint-Germain-des-Prés et archichancelier du royaume ; Enguerrand, chambellan du roi ; le comte Baudouin de Flandre, époux de Judith, fille du roi ; le comte Adelelin de Laon. À ces Grands, Hincmar donnait la consigne, qui n'était pas celle du roi, de traiter le prince avec modération.

Comme ce dernier continuait de s'agiter, l'archevêque trouva un moyen de l'abattre sans employer les armes : l'excommunication. Dans une telle affaire d'État, cette mesure ne pouvait être décrétée par une décision personnelle. Il rédigea un texte destiné à la signature de ses suffragants. Ce fut alors qu'Hincmar de Laon, dont nous avons vu précédemment l'attitude, refusa de se joindre aux signataires pour dénoncer le prince coupable, et que son oncle, devant cette résistance et les rumeurs accusatrices qui couraient, se résolut à assembler un concile provincial à Douzy, concile qui dépassait les limites de la province de Reims, puisqu'il comptait huit archevêques et vingt-deux évêques. On connaît la suite : l'évêque de Laon fut déposé et incarcéré.

L'affaire Hincmar avait un moment relégué dans l'ombre l'affaire Carloman. Charles le Chauve était maintenant de retour sur les terres du Nord et pressait ses vassaux de réduire le félon. Ce fut une guerre d'escarmouches où le prince, pourchassé comme un cerf, disparaissait et réapparaissait en échappant à ses poursuivants. Finalement, constatant son impuissance à résister, il préféra fuir.

Il franchit la frontière et se réfugia dans le royaume de son oncle Louis, roi de Germanie.

Il comptait y recevoir un accueil favorable. Il se trompait. On se trouvait au début de l'année 871. Le Germanique était en conflit avec ses propres fils. Toujours, chez ces Carolingiens avides, une affaire d'héritage. Les deux fils aînés du roi, Carloman et Louis (attention aux homonymes), réclamaient une attribution anticipée de leur part du partage du royaume paternel. Le père n'était guère disposé à céder. Il se produisit alors un chassé-croisé : tandis que Carloman de France passait en Germanie pour obtenir le secours de l'oncle Louis, Carloman de Germanie et son frère passaient en France pour recevoir l'aide de l'oncle Charles. Ils n'avaient pas loin à aller : l'oncle résidait à ce moment dans sa villa de Douzy, au confluent de la Meuse et de la Chiers, un poste frontière d'où il se tenait prêt à frapper le fugitif.

Le Chauve et le Germanique, en rois vigilants et en pères responsables, ne se laissèrent pas manœuvrer par leurs fils indignes. Ils se rencontrèrent à Maestricht, autre place frontière, et convinrent d'une mesure réciproque : les oncles renvoyaient les fils coupables à leurs pères. Charles renvoya les princes germaniques dans leur royaume. Louis fit amener Carloman de France à Besançon, où son père alla le prendre. Il eut beau supplier et promettre, Charles avait déjà entendu cette musique. Il fut saisi, ligoté, emmené au château de Senlis, et réincarcéré.

L'attitude du roi parut à nouveau trop sévère aux partisans de Carloman. Ils se concertèrent, réunirent leurs troupes et décidèrent de délivrer le prisonnier pour lui octroyer un royaume. Lequel, on peut se le demander. C'était évidemment un rêve. Mais Charles décida de les dissuader d'une façon atroce : en 873, il fit crever les yeux du prince coupable, désormais inapte à la royauté. C'était là un supplice que Charlemagne avait interdit dans son empire. Mais ses descendants ne se gênaient pas pour l'appliquer. Louis le Pieux, aussitôt pourvu du trône de son père, l'avait fait subir, par mesure de moralité, aux amants de ses sœurs. Puis il l'avait réitéré sur son neveu Bernard, roi d'Italie, rebelle et capturé, bien qu'il se livrât lui-même à l'empereur pour lui demander miséricorde. Alors, autre forme de cruauté, Charles rendit ce fils mutilé au roi germanique, qui n'eut plus entre les mains qu'un infirme pitoyable, appelé à mourir trois ans plus tard. Par compassion, son oncle en fit un abbé laïc d'Echternach. Louis le Germanique ne se montra pas aussi féroce avec ses fils. Il leur légua par testament une partie de son royaume à recueillir à sa mort, qui advint trois ans plus tard. Carloman fut alors roi de Bavière et Louis roi de Saxe.

II

CHARLES LE CHAUVE EMPEREUR
875-877

En 875, Louis II, roi d'Italie et nominalement empereur, survivait seul des trois fils de l'empereur Lothaire, lui-même fils aîné de Louis le Pieux. Avant de mourir en 855, Lothaire avait partagé ses États entre ses trois fils : à Louis II l'Italie, à Lothaire II la Lotharingie, à Charles le Jeune la Provence. La mort s'était emparée de Charles, le plus jeune des trois, dès 863, alors qu'il n'avait encore que dix-huit ans. Ses deux aînés se partageaient son héritage, Louis s'attribuant la partie méridionale de la Provence, adjacente à l'Italie, Lothaire, la partie septentrionale, voisine de la Lotharingie. Il est remarquable que les deux oncles, Louis le Germanique et Charles de France, ne revendiquèrent aucune part de l'héritage.

Six ans après, c'était au tour de Lothaire II de disparaître à l'âge de trente-quatre ans, abandonnant l'étrange royaume auquel il avait donné son nom. Il ne laissait pas de postérité de sa femme légitime, Teutberge. Sa concubine Valdrade lui avait donné un fils, Hugues, qui, réputé bâtard, était écarté de la succession. Cette fois, l'empereur Louis se trouva incapable de faire valoir ses droits. Il était occupé en Italie à lutter contre les invasions musulmanes et les rébellions de ses vassaux. C'était aux deux oncles de faire valoir leurs droits.

Charles le Chauve fut le plus rapide. Il se trouvait alors dans sa villa d'Attigny, proche du royaume de Lothaire, et guettant déjà sa mort. Louis le Germanique, lui, le patriarche de la famille, gisait sur son lit, terrassé par une maladie que l'on disait déjà mortelle. Son cadet n'avait plus qu'à agir. Prudent, il préféra, malgré son impatience, adresser des messagers aux principaux seigneurs de Lotharingie, laïcs et clercs, ces derniers détenant une influence considérable. Les réponses furent mêlées. Mais enfin, l'audace commandait de réduire les hésitants. Le 5 septembre 869, Charles entra dans Metz avec sa garde, et l'évêque Advence l'accueillit comme souverain. Dès le 9, Hincmar couronnait Charles roi de Lotharingie. Aussitôt acclamé par les autres évêques et par de nombreux comtes, il fit son entrée solennelle à Aix-la-Chapelle. Ce fut dans cette capitale de Charlemagne que, le 22 janvier 870, il épousa Richilde, sa seconde femme.

Tout aurait continué pour le mieux si, conformément aux prévisions, Louis le Germanique avait succombé à son mal. Mais voilà que, en février, une nouvelle courut la Germanie, et se propagea hors des frontières : le roi est guéri, le roi a repris ses forces. Il apprit alors le coup d'audace de son frère. Indigné, il s'empressa de porter ses plaintes devant le pape et devant son neveu l'empereur. Puis, fort de son bon droit, il occupa Francfort.

Charles le Chauve fut effrayé de cette nouvelle guerre qui se préparait, mais il feignit ne pas l'être. Il temporisa. Puis il offrit à Louis de vider cette querelle dans une rencontre, qui eut lieu le 8 août 870 au palais de Meerssen sur la Meuse, au nord de Liège. Chacun était accompagné de quarante-quatre personnalités déterminées à sauver la paix. Ils se mirent vite d'accord. Par le traité de Meerssen, le royaume de Lotharingie disparaissait. Il était coupé en deux parties longitudinales, celle de l'est attribuée à Louis et amplifiant la Germanie, celle de l'ouest attribuée à Charles et constituant un territoire de la France. Les royaumes des deux frères devenaient contigus.

En 875, Louis II, donc, survivait seul des trois fils de l'empereur Lothaire. De sa femme Engelberge, il n'avait qu'une fille, Ermengarde. Elle pouvait, certes, hériter d'une partie importante de ses biens, mais non pas de son royaume, et encore moins, selon la tradition carolingienne, de l'Empire. Le successeur de Louis II sur son trône devait être le plus proche parmi ses parents masculins. De fait, ils étaient deux, ses oncles Louis et Charles. Plus exactement, la succession au trône d'Italie devait obéir aux lois de la dynastie ; quant à la succession impériale, elle dépendait essentiellement du pape. Car aucun souverain ne pouvait obtenir le titre et l'autorité d'empereur s'il n'avait été couronné par le souverain pontife.

L'empereur Louis n'avait pas désigné son héritier. Louis le Germanique, âgé de soixante-neuf ans, ne convoitait pas l'héritage pour lui-même, mais pour son fils aîné, Carloman, âgé de quarante-six ans, et il avait dans ce sens entamé des pourparlers avec l'empereur régnant. Mais Louis II ne se résignait ni à désigner son successeur, ni à mourir. Enfin, en cette année 875, l'attente des héritiers potentiels fut exaucée : l'empereur mourut le 12 août à Brescia.

Réfugiée à Ravenne, l'impératrice Engelberge parla : peu avant sa mort, son mari lui avait exprimé ses dernières volontés, qui coïncidaient avec la demande pressante de Louis le Germanique : le royaume d'Italie devait être attribué au fils aîné de celui-ci, Carloman. De quoi donner satisfaction au candidat. Mais Engelberge était le seul témoin. Elle ne présentait aucun texte, aucun document capable d'accréditer sa parole. Louis le Germanique tenta de réunir les pièces qui attestaient les droits de son fils.

Pendant ce temps, Charles le Chauve, peu soucieux des droits acquis, passait aux actes. Il réunit son ost et s'élança sur la route d'Italie. Il n'était pas sans espoir. Il ne pouvait ignorer qu'il avait pour partisan le pape lui-même. À Hadrien II, peu favorable à la France, avait en 872 succédé sur le siège de Rome Jean VIII, aux yeux duquel l'intérêt du Saint-Siège était représenté par le roi de France. Dès que Louis II eut été porté en terre, le pape réunit une assemblée composée du Sénat romain et des évêques suburbicaires, qui acclama pour empereur Charles de France. Trois évêques furent envoyés aussitôt en France pour porter la nouvelle.

Charles le Chauve se trouvait alors à Douzy. Le 1er septembre, il réunit à Ponthion un conseil qui le pria de se rendre à Rome pour obtenir la couronne impériale. Il appela à Langres ses vassaux avec leurs hommes d'armes. Que faire de Louis le Bègue, considéré maintenant comme l'héritier du trône ? Son père osa lui donner un poste de responsabilité, qui ne correspondait à rien avec l'Aquitaine. Il le nomma administrateur de la partie de la Lotharingie récemment réunie à la France. À vingt-neuf ans, le prince héritier était enfin pris au sérieux par son père et chargé d'une fonction de responsabilité.

L'armée royale, s'étant promptement réunie à Langres, s'ébranla le 1er septembre 875, passa le Grand-Saint-Bernard, atteignit le Val d'Aoste et se trouva le 29 septembre devant Pavie. Là, l'attendaient les envoyés du pape qui prièrent le roi de se rendre à Rome.

Ils ne se rencontrèrent pas aussitôt. Car Louis le Germanique, apprenant le départ de son demi-frère, décida de lui interdire l'accès de Rome. Il équipa deux armées. La première, confiée à son troisième fils, Charles le Gros, parvint en Lombardie avant le Chauve, avec mission de lui barrer le passage. La seconde, commandée par son fils aîné Carloman, avait pour objectif de franchir les Alpes par le col du Brenner et de tomber sur les arrières de l'armée française.

Vains calculs. Quand Charles le Chauve arriva devant Pavie, il y trouva l'armée de Charles le Gros qui lui barrait le chemin. Vaine précaution. Une charge de la cavalerie française balaya l'obstacle. Le roi français se tenait depuis peu à Pavie quand on lui annonça la prochaine arrivée de Carloman avec une armée saxonne. Le Chauve craignit qu'une nouvelle bataille non seulement contrariât son voyage, mais affaiblît la force de son armée. Il fit réclamer à Carloman une entrevue. Il lui montra la vanité d'un règlement guerrier. Le trône impérial n'était plus à attribuer, puisque le pape et la noblesse romaine le lui avaient déjà offert à lui, Charles de France. Quant à la couronne d'Italie, rien n'était décidé en ce qui la concernait. Le plus sage était d'attendre le moment où elle serait décernée. Pour l'instant, il était fort inconvenant, en affrontant l'armée du roi de France, de contrarier les décisions du pape. N'était-ce pas pour l'avenir une attitude capable de nuire aux fils de Louis le Germanique ? Si grand était le respect dû au Saint-Père que Carloman s'inclina devant les arguments de Charles le Chauve, et le laissa marcher vers Rome sans intervenir.

Il y arriva le 17 décembre. La plèbe, massée sur son parcours, lui fit une entrée triomphale. Elle guidait son trajet comme un itinéraire vivant. Quand le roi parvint devant la basilique Saint-Pierre au Vatican, entouré de ses dignitaires et d'évêques choisis, Jean VIII était là, qui l'attendait en haut des degrés, flanqué de ses cardinaux. Après quelques effusions et quelques compliments, le pape annonça l'heureuse nouvelle : le couronnement aurait lieu huit jours plus tard, en la fête de Noël, comme pour le premier Charles soixante-quinze ans plus tôt.

Ces huit jours qui précédaient la cérémonie ne furent pas consacrés aux loisirs. L'accession à la dignité d'empereur conférait à celui qui la recevait, certes des honneurs, mais encore et surtout des charges et des obligations. Les conversations qui réunirent quotidiennement le pape et le roi de France étaient destinées à établir une entente claire et loyale entre les deux pouvoirs. L'art diplomatique de Charles le Chauve parvint à esquiver ce qu'il y avait de trop lourd dans ces obligations. En échange, il abandonna au pape certains de ses pouvoirs. Ainsi en atteste le *Libellus de imperatoria potestate*.

« Le pouvoir impérial, écrit Émile Amann, comportait, avec un droit de regard assez mal défini sur les élections pontificales, une mainmise fort efficace sur le gouvernement des États de l'Église et spécialement sur l'administration de la justice. C'est à ces prérogatives que Charles le Chauve aurait renoncé, donnant par là au Souverain Pontife une autonomie qu'il n'avait guère connue aux époques antérieures. En même temps il aurait abandonné au pape les revenus fort considérables de trois grands monastères, dont la célèbre abbaye de Farfa, jusque-là tributaires du royaume italien[1]. »

L'auteur juge que le *Libellus* exagère quelque peu les concessions faites par le roi au pape. Mais il n'y a pas de fumée sans feu. Cette énumération de faveurs accordées au souverain pontife, si elle n'est pas exacte, rapporte évidemment quelque chose des entretiens privés développés entre Jean VIII et Charles. Et puisque toute discussion diplomatique cherche à équilibrer la réciprocité des avantages concédés, il convient de supposer que Charles le Chauve ne se contenta pas de la gloire d'une couronne, mais eut d'autres avantages plus concrets.

---

1. *L'Époque carolingienne*, Bloud et Gay, 1937, pp. 417-418.

Parmi les faveurs obtenues du pape, il faut signaler spécialement la désignation d'Anségise, archevêque de Sens, qui accompagnait le roi, comme primat des Gaules et de Germanie. À ce titre, il devenait le vicaire du pape pour les régions au-delà des Alpes. Son pouvoir de juridiction s'étendait à toutes les affaires ecclésiastiques d'ordre canonique et disciplinaire. Nomination qui, au retour, provoquerait la protestation d'Hincmar, archevêque de Reims, qui jusque-là exerçait plus ou moins ce pouvoir.

Le 25 décembre, au cours d'une messe solennelle célébrée par le pape lui-même, Charles de France fut couronné « empereur auguste ». Il y avait foule dans le chœur de la basilique, une abondance d'évêques, de princes romains, de représentants de la noblesse italienne. Avant de recevoir la couronne, Charles prononça le serment d'usage :

– Je jure de rester fidèle à la foi de la sainte Église, de garder ma soumission au pape, vicaire de Jésus-Christ, de le défendre contre ses ennemis et de défendre l'Italie contre les Sarrasins.

Après l'imposition de la couronne, le clergé, le sénat et les principaux dignitaires défilèrent devant le nouvel empereur pour lui rendre hommage. Chacun prêta un serment selon lequel il reconnaissait ce souverain comme protecteur, seigneur et défenseur de ses sujets. C'était dans cette mesure qu'il se soumettait à son autorité. Comment l'empereur, éloigné ensuite de l'Italie, pourrait-il répondre à un tel vœu ?

Ce protecteur de l'Église et de l'Italie ne devait guère prolonger son séjour à Rome. Il quitta la Ville dès le 5 janvier 876, avec ses dignitaires et toutes ses troupes. Sa précipitation avait deux motifs : le retour à Pavie, la situation de la France.

Le retour à Pavie avait lui-même un but fort clair : l'élection à la couronne d'Italie. À Carloman de Germanie, lors de son voyage aller à Rome, Charles n'avait pas dit qu'il renonçait à cette couronne. Il avait précisé qu'il se rendait à Rome pour recevoir la couronne impériale. L'autre restait en suspens. Mais il n'avait pas non plus ajouté qu'il l'ambitionnait. Affaire à régler ultérieurement. Charles avait une justification à cette ambition : quand, à Saint-Pierre, au Vatican, le pape l'avait couronné empereur, les Grands d'Italie étaient venus lui rendre hommage. Il se trouvait leur roi.

Il convenait maintenant de justifier cette reconnaissance de la noblesse italienne. Et pour cela ne pas attendre, sinon Carloman de Germanie lui couperait l'herbe sous le pied. Dès la fin de ce mois de janvier 876, Charles regagnait Pavie et s'installait au palais royal. Allait-on le contester ? Nullement. Il semblait qu'on l'attendait. Il convoqua une assemblée des Grands d'Italie. Formule pompeuse pour désigner un certain nombre de personnages qui lui étaient favorables et qui étaient censés représenter l'aristocratie et l'épiscopat de la Lombardie. Il s'y rendit dix comtes et vingt évêques. C'était suffisant. Ils acclamèrent le nouvel empereur roi d'Italie. Au cours de la cérémonie solennelle qui suivit, Charles le Chauve posa sur sa tête la couronne de fer des rois lombards[1].

Il était temps, pour Charles, de retrouver son vrai royaume, le royaume de ses pères. Les nouvelles qu'il en recevait étaient alarmantes. Louis le Germanique avait appris coup sur coup les événements d'Italie : l'incapacité de ses fils, le couronnement impérial, le couronnement d'Italie. Décidément, son jeune frère l'évinçait et l'humiliait scandaleusement. Puisque celui qui se constituait ainsi lui-même son ennemi ne pouvait être atteint en Italie, il

---

1. Cette fameuse couronne était en réalité en or. L'appellation « de fer » venait de ce qu'elle était garnie à l'intérieur d'un grand clou réputé avoir été un instrument de la crucifixion de Jésus-Christ.

restait à le frapper sur son territoire national. Le vieux roi, avec l'aide de son fils Louis, réunit une armée sur le Rhin, remonta la vallée de la Moselle et établit son camp à Metz.

Avant de s'engager militairement sur le territoire français, il tint à obtenir les réactions de la noblesse. Allait-il provoquer contre lui un soulèvement général ? Pouvait-il plutôt bénéficier de certaines complicités ? Il envoya des informateurs pour recueillir les sentiments des barons français. Il put constater, aux rapports qui lui furent faits, que l'autorité de Charles n'y faisait pas l'unanimité. Leur roi et seigneur avait soudain quitté son royaume pour aller chercher loin de lui une couronne flatteuse, entraînant la fleur de son armée et proposant ses services au-delà des monts.

Il s'ensuivit un flottement dans la noblesse française restée présente dans le royaume. Elle se partagea bientôt en deux clans : celui des contestataires, avec à leur tête Enguerrand, ancien chambellan du roi évincé par Boson, qui, sans aller jusqu'à proposer au Germanique une couronne, souhaitaient traiter avec lui ; celui des fidèles, avec à sa tête la reine Richilde, secondée par son frère Boson. Quant à Louis le Bègue, posté à la frontière pour s'en faire le gardien, il ne donnait pas signe de vie. Partagé entre le devoir et le ressentiment, il ne savait trop quel parti prendre. De la sorte, il passait pour un rien et perdait toute autorité.

Hincmar était conscient du danger de la situation. Il voyait se produire une rupture de l'unité nationale. Il monta au créneau. Il adressa aux évêques une encyclique leur rappelant leur devoir de fidélité au roi de France et au pape dont le couronnement impérial venait de le faire un défenseur.

Il eut aussi raison du clergé. Mais la noblesse ? Louis le Germanique, constatant son désarroi, franchit la frontière.

Où aller ? Quelle place prendre en priorité ? Quel comte allait lui ouvrir ses portes ? Comme il restait dans l'expectative, il se contenta de s'installer dans la villa royale d'Attigny. Boson profita de son hésitation, toujours défavorable à un envahisseur, pour envoyer en Italie deux messages : l'un à Charles pour le rappeler dans son royaume, l'autre au pape pour se plaindre de l'agression subie par l'empereur qu'il venait de couronner.

Charles avait reçu le message de Boson à Pavie. Toujours mobile, il leva le camp pour reprendre le chemin de la France. Auparavant, il tint à donner à Boson une marque de sa gratitude et de sa confiance. Il confirma officiellement son élévation. Boson était désigné comme vice-roi, « duc fameux, archiministre du sacré palais et délégué (*missus*) impérial ». Et en outre époux d'Ermengarde, fille et héritière de l'empereur Louis II. De cette façon, non seulement Charles favorisait sa belle-famille, mais il répondait à l'attente du pape. Celui-ci avait constitué le Chauve défenseur du Saint-Siège et de l'Italie. Or, ce défenseur quittait aussitôt le Saint-Siège et l'Italie. Se montrait-il coupable d'infidélité à ses serments ? Non, car il déléguait son autorité à un autre lui-même, qui exercerait son pouvoir. Sans méconnaître que ce vice-roi d'Italie, retournant la situation, résidait actuellement en France pour y défendre le trône français de l'empereur.

Ces précautions prises quant à son honneur et à sa sécurité, Charles le Chauve franchit les Alpes à pas de géant. À Verceil le 1er mars, il atteignait Besançon le 16 mars et se trouvait le 15 avril à Saint-Denis pour y célébrer les fêtes pascales.

Louis le Germanique, pourtant averti du retour de son frère, ne bougeait toujours pas. Sans doute attendait-il de savoir où il allait mener son armée. Il est vrai que cet envahisseur apathique, septuagénaire, avait accompli une rude chevauchée en plein hiver et s'en trouvait indisposé.

De son côté, Charles le Chauve, constatant l'immobilisme de son adversaire, se garda de précipiter les opérations militaires. Il s'installa dans sa villa de Ponthion sur la Marne. Là, il convoqua les Grands du royaume, qui se rendirent à son appel avec empressement. De quoi rassurer le souverain. Leur tentation d'infidélité venait-elle de ce qu'il était allé chercher deux autres couronnes ? Dès la première séance de l'assemblée, ce fut la question posée par le roi ; ces comtes et ces évêques approuvaient-ils les titres acquis par leur souverain au-delà des Alpes : empereur romain et roi d'Italie ? La réponse fut unanime : oui. Il est vrai que Charles, pour incliner la réponse, avait posé la question revêtu d'un ample costume d'apparat qui rappelait celui de la Rome antique.

L'assemblée de Ponthion dura près d'un mois : du 20 juin au 16 juillet 876. Elle se termina en apothéose : Charles, en tenue d'empereur antique, avec à sa droite Richilde couronnée, reçut l'hommage puis l'ovation de tous les Grands.

Au cours des débats de l'assemblée, le Chauve avait reçu une ambassade de son frère. Le Germanique se montrait exigeant, mais en même temps peu agressif, ce qui montrait sa faiblesse, à la fois organique et militaire. Il convenait que son frère avait été acclamé roi d'Italie, mais, ce royaume ayant été celui de Louis II, leur commun neveu, il en réclamait sa part. Charles répondit fermement que le pape avait tranché la question, et qu'elle n'avait plus à être posée.

Les pourparlers étant épuisés entre les deux frères, le vieux roi n'avait plus qu'à mourir. Ce qu'il fit le 28 août 876 quand il eut regagné Francfort. Cette mort ne provoqua pas une guerre de succession. Louis avait pris soin d'opérer le partage de ses États avant de disparaître, et chacun des trois fils s'empara de sa part sans contestation.

Le contestataire, ou plutôt l'envieux agressif, ce fut le roi de France, qui décida de profiter de l'occasion. En 869, à la mort de Lothaire II, roi de Lotharingie, Charles, profitant d'une grave maladie de son frère germanique, s'était emparé de ce royaume et s'en était fait couronner roi. Un an plus tard, le frère, recouvrant la santé, avait, par le traité de Meerssen, fait rendre gorge au spoliateur, qui ne gardait que la moitié du territoire. Enivré par ses succès, fier de ses nouveaux titres, Charles attendait la mort de son frère pour récupérer l'autre moitié de la Lotharingie. Voilà maintenant qu'elle entrait dans l'héritage d'un nouveau Louis, le second fils du défunt. Le royaume dont il prenait possession était nominalement celui de Saxe ; mais il comprenait aussi la Frise, la Thuringe, la Franconie, et cette Lotharingie orientale abandonnée six ans plus tôt par le roi de France. Avec, suprême marque de majesté, la ville impériale d'Aix-la-Chapelle.

Charles le Chauve décida de reprendre cette autre moitié de Lotharingie. Jointe à celle qu'il avait conservée, elle reconstituerait le royaume dont il s'était emparé naguère, et qu'il avait amèrement perdu. Il portait maintenant, pourtant, trois couronnes. Était-il nécessaire à sa gloire et à son avidité d'en conquérir une quatrième ? Il est possible (mais nous ignorons le projet de Charles à ce moment) que le conquérant eût voulu simplement obtenir la partie septentrionale de ce territoire, entre Meuse et Rhin. Au lieu de procéder à des pourparlers, il choisit d'intimider le nouveau souverain, comptant provoquer son rapide abandon. Il avait gardé une partie de sa belle armée d'Italie. Avec elle, il franchit la Meuse. Il n'avait pas à compter sur le concours de Louis le Bègue, qui résidait à quelques lieues de là, dans la Lotharingie concédée par Meerssen, tout près de la frontière de Louis le Jeune. Ce fils indigne, tandis que son père parcourait l'Italie, ne s'était pas opposé aux barons contestataires. Il les avait laissés comploter. Il n'avait aucune vocation à conduire une armée royale.

Il faut aussi imaginer, dans la logique de Charles le Chauve, sa conception du pouvoir impérial. Il avait été reconnu et consacré, par le pape lui-même, comme empereur d'Occident. Il se situait donc au-dessus des rois, surtout quand il décidait de s'emparer d'Aix-la-Chapelle, la capitale de Charlemagne.

Pour exécuter ce dessein, le plus simple eût été de gagner la Meuse à son palais de Douzy et de la descendre jusqu'à Liège. Là, il se fût trouvé à une douzaine de lieues d'Aix. Une promenade. Il choisit un autre itinéraire. Il s'avança jusqu'à Metz, puis descendit la vallée de la Moselle et de là gagna le Rhin. Ce parcours avait été si peu rapide qu'il ne provoqua pas une surprise. Louis le Jeune s'en trouva bientôt informé. Il adressa des messagers à son oncle : quel était son dessein en pénétrant dans son royaume ? L'oncle, bien sûr, ne répondit pas.

Le jeune roi, voulant défendre son territoire, se vit obligé de lever une armée, qu'il conduisit à Deutz, sur la rive droite du Rhin, en face de Cologne. Ce qu'apprenant, Charles s'avança sur la rive gauche, en face de Louis. Le face à face dura un mois. Que cherchait donc le roi de France ? Il cultivait l'immobilisme. Voulait-il combattre ? Se déciderait-il à faire demi-tour ? Il est probable qu'il ne s'attendait pas à rencontrer cette résistance, qui entravait ses plans. Mais enfin, n'avait-il pas de plan de rechange ? Ce fut Louis le Jeune qui se décida à bouger. Il remonta la vallée du fleuve jusqu'à Andernach, à huit lieues au sud. Là, un pont lui permit de faire traverser le Rhin à son armée. Cette fois, il n'y avait plus à hésiter. Charles se décida enfin à attaquer l'ennemi. Le soir du 7 octobre 876, il leva le camp et donna l'ordre de marche. Le temps était impropre à une attaque. Il tombait une pluie abondante qui mouillait les habits et les armes et détrempait le sol. Arrivé devant Andernach, l'imprévoyant Charles s'apprêta, avec cette armée fourbue et trempée, à tromper la surveillance des Germaniques. Déplorable illusion. Il était attendu. Sa colonne, avant même de se déployer devant le camp ennemi, fut enveloppée et massacrée. Aussitôt, Louis, qui ignorait les capacités de l'armée adverse, fit demi-tour et se réfugia à Francfort. Charles réunit les débris de cette belle armée et se retira dans sa villa de Samoussy, près de Laon.

Il était malade. Le refroidissement d'une nuit pluvieuse, la rage de la surprise, la honte de la défaite, l'avaient abattu. Il s'alita. Soigné avec empressement, il fut sur pied au début de 877.

Les chroniqueurs ne nous renseignent pas sur la conduite de Louis le Bègue pendant cette campagne où son père subit la défaite et risqua sa vie. Constitué gardien de la frontière, il n'avait ni gêné le Germanique, ni porté secours au roi français. Chercha-t-il seulement à connaître l'issue de cet affrontement ? D'ailleurs, il était roi d'Aquitaine. Qu'avait-il à faire dans cette région, à trois cents lieues de son royaume ?

III

LA FIN DE CHARLES LE CHAUVE

Charles le Chauve avait une autre campagne à entreprendre que cette stupide expédition sur le Rhin. Stupide parce qu'elle n'était commandée par aucun motif sérieux. Stupide parce qu'elle lui prenait son temps, son argent, ses troupes, sa santé qui étaient appelés à servir une tout autre cause.

Cette cause, c'était celle du Saint-Siège. L'Italie était la proie d'une invasion islamique. Les Sarrasins avaient été hier vaincus sur la péninsule par l'empereur Louis II. Mais l'empereur était mort, et leurs hordes, venues de Tunisie et de Sicile, profitaient de cette vacance du trône pour débarquer en Apulie (l'actuelle Pouille) et en Calabre. Elles y occupaient les places et ne cachaient pas leur dessein de s'emparer de Rome. Le duc de Spolète, protecteur des États pontificaux, ne bougeait pas, partagé entre le dévouement dû au Saint-Père et la crainte de l'envahisseur. Les autres princes chrétiens, soucieux de garder leurs territoires, laissaient les infidèles à leur entreprise.

Le pape Jean VIII était étreint par l'angoisse. Partout autour de lui la menace, partout la trahison. Et cependant, il existait un empereur romain, qui récemment, durant la cérémonie de son sacre, avait juré solennellement de défendre le pape et l'Italie. Cet empereur, doué de la foi et de la force, avait assez le sens du devoir et le pouvoir militaire pour surgir en Italie avec une armée et rejeter à la mer ces agresseurs.

Le 15 novembre 876, Jean VIII adressa à l'empereur un appel douloureux, lui réclamant de revenir d'urgence en Italie. Le malheureux Charles revenait de Lotharingie et gisait sur son lit de douleur, affligé d'une pleurésie. C'était bien le moment pour lui de parcourir quatre cents lieues, en pleine saison hivernale ! En outre, après la débâcle d'Andernach, il avait licencié son armée. Il lui était fort difficile, psychologiquement, de rameuter tous ces premiers vaincus sur le Rhin pour les entraîner au-delà des Alpes. De toute façon, il lui fallait d'abord recouvrer la santé.

Il s'était retiré dans son palais de Compiègne où il passa l'hiver. À la fin d'avril 877, nouvelle ambassade du pape, plus angoissée et plus pressante. Charles ressentit profondément son devoir de voler au secours du Saint-Père. Et aussi de cette Italie dont il était le roi. Un nouvel obstacle se présentait à lui : l'état de son royaume. Non pas certes l'état géographique et économique, qui n'était pas problématique. Mais celui de l'aristocratie, âme du royaume. Il avait compris que ces comtes et ces seigneurs qui l'entouraient n'étaient guère fiables pour le plus grand nombre. Les ambitions individuelles caressaient des projets inavouables ; les intérêts communs de certains vassaux leur suggéraient une union pour des revendications. Ceux qu'il entraînerait avec lui, seraient-ils prêts à combattre ? Ceux qu'il laisserait dans leurs fiefs, sauraient-ils attendre sagement son retour sans préparer une opposition favorable à leurs ambitions ? Son fils lui-même, cet héritier indolent et instable, était-il fiable pour garder la fidélité de cette noblesse ? Était-il capable de faire un roi si son père laissait ses os en terre étrangère ?

Il était certain que Charles le Chauve, bien que sorti de sa dernière maladie, entrevoyait sa fin. Plus faible qu'auparavant, il se sentait moins fort pour entreprendre un long voyage et pour se lancer dans une lutte armée. La crainte de l'infidélité de ses vassaux accroissait ce malaise devant les dangers d'un départ.

Ayant minutieusement tout pesé, il prit sa décision. Certes, il se rendrait, au plus tôt, à l'appel du pape. Mais, auparavant, il prendrait soin de dicter aux Grands leur conduite en son absence. Le 14 juin, il réunit dans sa villa de Quierzy tous les comtes et les évêques du royaume pour une assemblée d'une ultime importance, qui de fait se révélerait historique. Ce royaume, qu'il avait créé trente-quatre ans plus tôt, après tant de luttes, de morts, de victimes ; qu'il avait organisé, accru, défendu ; ce royaume, il était de son plus haut devoir de le confier à tous ces Grands comme un héritage sacré, et de le garder dans l'unité. Pendant ses longues journées de méditation à Compiègne, il avait conçu et rédigé un *capitulaire*, c'est-à-dire un ensemble de textes législatifs tels que les publiait périodiquement Charlemagne. C'était cette loi qu'il allait réclamer aux Grands d'accepter, pour la promulguer et pour s'y soumettre.

La suite de ces *capitula* montre que ce roi sur le départ, qui s'inquiète de son absence prolongée et qui se méfie de tous, a prévu le fonctionnement de l'État comme d'une machine soigneusement mise au point. Historiquement, c'est le neuvième décret qui a retenu le plus fortement l'attention des historiens. Certains d'entre eux l'ont d'ailleurs considéré comme l'établissement de la féodalité. Il s'agit en fait de la réglementation de la succession de la noblesse à l'occasion de l'imminente expédition d'Italie.

La question est celle-ci : Si, pendant que son fils combat avec le roi en Italie, un comte meurt dans le royaume, quelle sera la part du fils au retour ? La réponse est sans ambages : le fils retrouvera le fief de son père. Une telle loi, on le conçoit facilement, est faite pour tranquilliser les jeunes nobles qui partiraient dans l'expédition avec l'inquiétude de se trouver sans terres au retour. Et aussi les pères qui éprouvaient la crainte de ne pas laisser leur héritage à leur fils. Il ne s'agit donc pas d'une loi générale et permanente qui rendrait les fiefs héréditaires. D'ailleurs, la succession par hérédité, à peu près inconnue sous Charlemagne, était devenue fréquente sous Louis le Pieux et avait pris une certaine extension sous Charles le Chauve. Elle n'était pourtant pas une loi, mais un usage limité.

Plus exceptionnelle est l'institution d'un conseil de tutelle qui coiffera le pouvoir du prince héritier. Louis le Bègue n'avait jamais été un prince brillant, ni un fils fidèle. En un mot, un héritier peu digne de confiance. Charles ne lui abandonne donc pas l'autorité en son absence. Tout au contraire, il le place sous une autorité. Il institue un conseil royal, qui a pour fonction officielle de seconder son fils, mais qui est en fait destiné à le surveiller et à assurer à sa place les fonctions régaliennes. Les personnages qui composent ce conseil ne se réduisent pas à quelques-uns, ce qui exciterait l'ambition de prendre réellement le pouvoir. Ils sont au nombre de douze. Et si bien chargés de contrôler l'emploi des finances publiques que Louis le Bègue ne peut engager la moindre somme sans leur permission.

Les douze sont d'ailleurs aussitôt nommés, car le roi les considère comme des hommes d'une confiance méritée. Ce sont quatre évêques : ceux de Paris, Soissons, Beauvais et Tournai ; cinq comtes : Adalard, Adalelm, Baudouin de Flandre, Conrad et Theudric ; trois abbés : Gozlin de Saint-Germain-des-Prés, Foulques de Saint-Bertin, Welf de Sainte-Colombe de Sens.

Le *capitulum* 14 contient une curieuse disposition qui montre que, malgré toutes les mesures vexatoires prises par le père contre son fils, il le considérait sinon comme capable, mais du moins digne d'exercer un pouvoir royal. Quand Charles reviendra d'Italie, Louis s'y rendra pour s'y faire couronner roi. Précaution qui, d'une part, montre que Charles ne se sent plus de taille à assumer le gouvernement de deux royaumes ; et que, bien que tenant son fils pour incapable de gouverner la France, il l'envoie s'occuper de l'Italie. Avec les pires difficultés qui l'attendent : l'invasion musulmane, l'inconstance des princes lombards, l'hostilité des vassaux du Saint-Siège. Au moins, de cette façon, l'Italie échappera aux Carolingiens germaniques. Et son fils ne l'encombrera plus en France.

Toutes ces précautions étant décidées, Charles le Chauve donna en juin 877 l'ordre du départ. Il n'entraînait pas seulement son armée et les dignitaires dénués de fonctions en France, mais aussi la reine Richilde et son trésor, constitué de caisses d'or, d'argent, d'objets précieux de toutes sortes. Une caravane. À Besançon, le 12 août, Boson, assumant sa fonction de vice-roi d'Italie, attendait son beau-frère et sa sœur. À Orbe, Charles trouva Adalgaire, évêque d'Autun, qui lui communiqua deux nouvelles : d'une part, le concile de Rome avait entériné son élection à l'Empire ; d'autre part, le pape venait à sa rencontre à Pavie. En réalité, quand, après avoir franchi les Alpes au col du Grand-Saint-Bernard, Charles parvint à Verceil, il y trouva le pape, impatient de l'accueillir. Ce furent ensemble que Jean VIII et Charles se rendirent à Pavie.

Tandis qu'ils y séjournaient, une fâcheuse nouvelle leur parvint : Carloman de Bavière, informé du voyage de Charles le Chauve en Italie, traversait les Alpes septentrionales avec une armée. On ignorait l'importance de cette armée, et Charles soudain craignait que la sienne ne fût pas assez forte pour lui résister. Il attendait Boson qui devait le rejoindre avec des renforts. Mais Boson ne se montrait pas. Sur l'incitation du pape, Charles et les siens se réfugièrent à Tortone. Là, à titre de consolation, Jean couronna Richilde impératrice.

Mais voilà que la nouvelle redoutée leur arriva : Carloman a franchi les Alpes avec une armée nombreuse, et il marche vers Pavie. Ce fut d'abord pour ce qu'il avait de plus précieux que Charles éprouva de la crainte : sa femme et son trésor. Il choisit un détachement conduit par quelques seigneurs de confiance, qui s'enfuirent avec la reine et le trésor, qu'ils mirent l'une et l'autre en sécurité à Maurienne.

À Carloman, l'information arriva à son tour : Charles le Chauve et le pape marchaient contre lui avec une armée formidable. Sans même vérifier la véracité de cette annonce, il ordonna demi-tour. Ce n'était pas la première fois.

Jean VIII et Charles le Chauve décidèrent de se séparer. Le pape reprit le chemin de Rome. L'empereur espérait, sans pouvoir le promettre, l'arrivée de nouvelles troupes. En attendant, il préférait régresser vers la France. Il était à nouveau malade, et ne se sentait pas capable de reprendre aussitôt la lutte. Pour l'instant, il comptait retrouver l'impératrice. Il n'eut ni le temps, ni les forces d'aller jusqu'à Maurienne. Il parvint à franchir le col du Mont-Cenis, mais, la fièvre devenant plus accablante, il dut s'aliter au hameau d'Avrieux, près de Modane. Avertie, la reine Richilde accourut à son chevet. Il lui confia le soin d'annoncer sa mort, et lui fit remettre l'épée du sacre, afin de la porter à Louis le Bègue qu'il instituait ainsi l'héritier de sa couronne.

Il expira le 6 octobre 877, en pleine possession de sa conscience. Il avait demandé aux clercs qui l'entouraient de porter son corps dans l'abbatiale de Saint-Denis. Mais il émanait de son cadavre une odeur si pestilentielle qu'on l'inhuma au monastère de Nantua, au diocèse de Lyon, d'où ses os furent transférés quelques années plus tard à Saint-Denis.

Évidemment, comme il se devait après la mort de chaque personnalité, on chercha à diagnostiquer le mal qui avait emporté un si grand roi, et l'on conclut à l'empoisonnement. Mais qui aurait pu ? Certains trouvèrent (à voix basse) le coupable : le juif Sedecias, son médecin ordinaire, en qui il avait une entière confiance.

Jean VIII se trouvait à Ravenne quand on lui rapporta la mort de l'empereur. Il formula ainsi son éloge funèbre :

« Charles a brillé comme un astre dans le ciel. Sa vertu fut égale à celle de ses aïeux. Il acheva la tâche qu'avaient entreprise ses prédécesseurs, et remporta la bataille universelle qu'il avait engagée, celle de la religion et du droit. Rien dans sa conduite ne fut jamais répréhensible. C'est pourquoi il nous semble à l'évidence que Dieu l'avait destiné à sauver l'Empire de ce monde. »

QUATRIÈME PARTIE

LOUIS LE BÈGUE
ROI DE FRANCE

877-879

I

LA SUCCESSION

Charles le Chauve avait raison d'hésiter à abandonner son royaume. Celui-ci manquait d'unité et de cohésion. D'unité territoriale, de cohésion de l'aristocratie. Il se voyait la seule autorité jouissant d'assez de prestige pour unir le territoire et les Grands. Lui absent, que deviendrait cette autorité ? Son fils l'héritier ne jouissait d'aucune estime dans le monde politique, et s'était d'ailleurs constamment tenu à l'écart des gouvernements, soit par indifférence personnelle, soit par sanction de son père. Malgré l'autorité dont il jouissait lui-même, Charles devinait sans trop de peine qu'un certain nombre de hauts personnages ou de simples barons n'attendaient qu'un moment favorable pour lui être infidèles. S'il partit, ce fut pour sa dévotion religieuse au pape et par soumission à sa responsabilité politique d'empereur romain.

Avant de prendre le chemin de l'Italie, Charles, constatant que le corps d'armée qu'il conduisait était trop faible pour faire face à tous les ennemis du Saint-Siège, avait chargé son beau-frère Boson d'en lever un autre qui viendrait le rejoindre au-delà des Alpes. Boson était l'un des rares personnages auxquels il vouât une solide confiance. Il attendait de lui une exécution prompte et satisfaisante de sa mission. Mais, parvenu en Italie, Charles attendit en vain, Boson ne le rejoignit pas.

Que devenait ce fidèle serviteur de la monarchie ? Il était pris dans le remous d'une révolution de palais. À ses appels pour l'accompagner afin d'aller protéger le pape et combattre ses ennemis, nul n'obtempérait. C'était, protestait-il, un ordre du roi. Mais on n'obéissait plus aux ordres du roi. Un groupe de grands seigneurs se levait, qui voulait suivre sa propre politique. Un nouveau clan : ils n'appartenaient ni aux fidèles qui avaient suivi le roi, ni à l'équipe à laquelle le roi avait confié le pouvoir. Leur dessein n'était pas de détrôner le roi, car ils mesuraient combien étaient incapables les princes carolingiens appelés par l'hérédité à le remplacer sur le trône. Louis le Bègue ne méritait ni leur confiance, ni leur admiration. Quant aux fils de Louis le Germanique, ils feraient de la France une annexe de leurs royaumes d'outre-Rhin. Ce que ces hommes voulaient, c'était gouverner. Soit en recevant le pouvoir d'un roi rejeté dans l'ombre, soit, ce qui était plus sûr, en imposant eux-mêmes leur pouvoir au roi.

Qui étaient les meneurs de ces Grands assoiffés de domination ? Des hommes d'une exceptionnelle qualité. Le plus important, Hugues, appartenait au clan Welf, et se trouvait ainsi de sang impérial. Fils de Conrad, abbé laïc de Saint-Germain d'Auxerre, il était ainsi le neveu de l'impératrice Judith, seconde femme de Louis le Pieux, mère de Charles le Chauve. Il était également le neveu d'Emma, cette sœur de Judith qui avait épousé Louis le Germanique ; et il se trouvait le cousin germain des rois Carloman, Louis le Jeune et Charles le Gros. Du côté maternel, sa tante Ermengarde avait épousé l'empereur

Lothaire Ier. Ce qui faisait d'Hugues le cousin germain de l'empereur Louis II et du roi Lothaire de Lotharingie.

Sans trône, mais proche parent de cinq empereurs et impératrices, de huit rois et reines, Hugues apparaissait comme un souverain associé dominant la scène de la politique européenne.

Son appellation usuelle était Hugues l'Abbé. Car, sans avoir jamais reçu un degré de la cléricature, il se trouvait abbé laïc de Saint-Germain d'Auxerre, de Saint-Bertin, de Saint-Martin de Tours, de Marmoutier, de Sainte-Colombe de Sens, de Saint-Aignan d'Orléans. Un seigneur richissime. Avec cela, un caractère et une ambition propres à user avantageusement de cette fortune.

Ses affidés les plus puissants étaient Bernard Plantevelue, fils de Bernard de Septimanie, devenu, malgré la disgrâce de son père, marquis d'Aquitaine et comte d'Auvergne ; Bernard de Gothie, fils du comte de Poitiers et marquis d'Espagne ; Gauzlin, abbé de Saint-Germain-des-Prés et chancelier du royaume ; Conrad, comte de Paris.

On a de la peine à comprendre le rôle de Boson dans cette situation anarchique. Faisait-il partie du groupe des conspirateurs ? C'est au moins l'avis d'Hincmar de Reims. Mais Hincmar manifeste tant de fois son antipathie et sa jalousie à l'égard de Boson qu'on ne peut lui faire parfaitement créance. Son rôle était ambigu. Il avait été créé duc d'Italie et de Bourgogne, ce nom recouvrant l'ancien royaume de Provence de Charles le Jeune. Il n'avait reçu aucune fonction nationale. Mais il était le beau-frère et l'homme de confiance de Charles le Chauve. S'il laissait la rébellion s'installer, il trahissait le roi. S'il s'opposait militairement aux puissants vassaux rebelles, il était vaincu : il n'avait pas même pu rassembler la moindre troupe pour passer en Italie. La seule conduite à tenir était de composer avec les rebelles pour garder ses possessions.

107

Quand parvint la nouvelle de la mort de Charles le Chauve, tous ces Grands se trouvèrent fort embarrassés. Ils avaient conçu, singulièrement ou entre quelques-uns, un plan de réclamations au roi pour les faire valoir à son retour. Et voilà que le roi n'était plus. Certes, il laissait un héritier. Mais encore fallait-il lui permettre de régner.

Pour le moment, se livrant à cet instinct dévastateur qui animait les guerriers dans le Haut Moyen Âge, ils réunirent leurs troupes et, rejoints par le duc Bérenger de Frioul, se mirent à ravager la Champagne.

Louis le Bègue se réveilla. Il ne se trouvait plus héritier au sens où un héritage lui était promis, mais au sens où il l'avait reçu. Son père ne l'avait-il pas institué officiellement pour son successeur ? Il avait trente et un ans, âge suffisamment mûr pour faire valoir ses droits. Il se proclama roi. Certes, il n'était ni élu, ni sacré, mais il était l'aîné et unique fils du roi défunt. Hincmar prit résolument parti pour lui. Il lui adressa ce conseil :

« Prenez garde, autant que vous le pourrez, à ce que, au commencement de votre règne, il ne s'élève entre les Grands aucune discorde quant à votre gouvernement, car vous ne pourriez ensuite l'apaiser sans une grande difficulté. Ainsi, que les Grands qui sont les vôtres se contiennent eux-mêmes et modèrent leurs volontés, de crainte que leur cupidité ou leur négligence ne provoque un scandale chez les autres Grands du royaume. »

Pour le moment, Louis, sur les conseils qu'il ne devait pas mécontenter les seigneurs de son royaume, distribua immédiatement les bénéfices, comtés, abbayes, prieurés, seigneuries, domaines. Le résultat fut le contraire de ce que le prodigue escomptait. Les bénéficiaires, se trouvant mal pourvus, considéraient chez le roi un manque de générosité. Les négligés (car il s'en trouvait nécessairement) réclamèrent leur part. Ce fut un mécontentement général, qui conforta l'indignation et l'exigence des seigneurs rebelles.

Conseillé par l'archevêque de Reims, Louis le Bègue se retira à Compiègne et y appela les Grands. Les principaux d'entre eux, c'est-à-dire les rebelles, continuaient à dévaster la Champagne. Ils avaient fixé à ce moment leur camp à Avenay, à cinq lieues au sud de Reims. Hincmar leur adressa un message pressant pour les inciter à rejoindre le roi à Compiègne et à tenir avec lui des entretiens pacifiques. Ils s'exécutèrent.

La réunion fut houleuse. Les insoumis, se sentant en force, réclamaient surtout le respect des engagements de Quierzy, octroyés par Charles le Chauve. Ils faisaient dévier à leur convenance et à leur intérêt le sens des concessions du souverain. Car Charles n'avait en rien promis de ne pas distribuer les bénéfices. Il avait simplement admis la règle de l'héritage pour un cas précis. Moyennant quoi, ces vassaux difficiles firent jurer au nouveau roi de garder leurs privilèges, et d'amnistier tous les seigneurs qui avaient pris les armes contre son père et contre lui.

Il consentit. Il n'en était pas moins inquiet pour sa couronne. Car non seulement, vu l'agressivité de ses féaux, il n'était pas encore acclamé, mais il n'était pas non plus sacré. Quel était le pouvoir d'un roi carolingien qui n'avait pas subi l'onction du sacre ? Ce fut alors qu'arriva à Compiègne l'impératrice Richilde. Elle apportait la couronne, l'épée et le sceptre de Charlemagne, ainsi que le manteau royal aux fleurs de lis. Richilde n'était certes que la marâtre de Louis ; mais, devant le danger que représentait la rébellion contre son beau-fils, elle se considéra comme la gardienne de la dynastie, désignée pour la sauver. Sans doute aussi espérait-elle que ce nouveau roi était propre à sauvegarder l'autorité de son frère Boson sur ses territoires.

L'instant était décisif. Hincmar se déclara prêt à sacrer Louis le Bègue. Les Grands y mirent quelques conditions. Ils exigèrent que le nouveau souverain jurât de respecter les droits du clergé et de la noblesse, de maintenir la discipline de l'Église et, nouveauté qui reniait le pouvoir absolu du roi, que celui-ci s'intitulât « roi par la miséricorde de Dieu et l'élection du peuple ». Eux-mêmes, à leur tour, prononcèrent le serment de fidélité à leur souverain. Qu'est-ce que cela leur coûtait ? Le 8 décembre 877, l'archevêque Hincmar sacrait enfin Louis II roi de France.

La mort de Charles le Chauve, empereur et deux fois roi, et l'anarchie qui s'en était suivie en France et en Italie, réveillèrent les ambitions des princes allemands, fils de Louis le Germanique. Et plus encore du prince Hugues, fils illégitime de Lothaire (†869), roi de Lotharingie, et de sa concubine Valdrade. Il considérait que la Lotharingie, partagée entre Charles le Chauve et Louis le Germanique, lui revenait de droit. La part du Germanique avait échu, à sa mort, à son second fils Louis le Jeune, proclamé en même temps roi de Saxe. C'était de ces deux parts réunies à nouveau qu'Hugues se voulait roi. Il recruta une petite armée et commença à occuper les places. Louis le Bègue, souverain récent et pouvant mal compter sur une noblesse indocile, demanda à Hincmar d'utiliser son pouvoir spirituel. L'archevêque écrivit à l'envahisseur :

« J'ai eu l'amitié du roi votre père et de l'empereur votre aïeul. Et celle que je vous porte m'oblige à vous représenter que les pillages et les autres crimes qui se commettent avec votre permission retombent sur vous et vous méritent les peines éternelles. La plainte en a été formulée dans un concile réuni en Neustrie. Ce concile m'a ordonné de vous écrire, de vous inciter à éloigner de vous ces méchants et d'abandonner vos prétentions sur ce royaume. Si vous n'en tenez pas compte, j'assemblerai les évêques de ma province et des provinces voisines, et nous vous excommunierons, vous et vos complices. Ensuite, nous annoncerons cette excommunication au pape, et à tous les évêques et princes des royaumes voisins.

« Considérez donc, mon fils, en quel péril vous êtes. Ne croyez pas ceux qui vous flattent de l'espoir de régner. Considérez ce qu'il en a résulté pour vos oncles[1] d'avoir méprisé la loi de Dieu pour conquérir des royaumes, et que votre père, après bien des travaux, a perdu et le royaume et la vie. Le roi[2] m'a promis de vous combler d'honneurs et de biens si vous n'y mettez pas d'opposition. J'attends de vous une réponse certaine et sincère. »

Ce concile en Neustrie auquel fait allusion Hincmar est celui de Rouen, dont les actes qui nous restent ne portent pas la date. L'abbé Darras va jusqu'à l'omettre dans sa grande *Histoire de l'Église*. Dom Bessin, pour des raisons de critique interne, le place au VIIe siècle. La date de 878 est évidente, puisqu'il est mentionné par Hincmar à cette date comme ayant siégé récemment.

D'autre part, il n'est nulle question, dans ces actes, d'une plainte formulée par des évêques contre Hugues de Lotharingie. Les seize canons relevés sont purement disciplinaires. Ils concernent la distribution de la communion, le paiement de la dîme, la résidence des évêques, l'observation de la messe dominicale, etc. Il convient donc de constater que la plainte concernant Hugues et la motion qui l'a suivie ont été prononcées en dehors des sessions régulières.

1. Pépin Ier, roi d'Aquitaine, et Louis le Germanique.
2. Louis le Bègue.

II

LE CONCILE DE TROYES (878) – LOUIS II EMPEREUR

En Italie, après la mort de Charles le Chauve, l'effervescence et la violence reprirent avec plus d'âpreté.

Carloman, fils aîné de Louis le Germanique, et roi de Bavière depuis la mort de son père (876), n'avait pas abandonné ses prétentions au royaume d'Italie. Maintenant, avec la disparition de Charles le Chauve, il y ajoutait sa prétention à la dignité impériale. Il jouissait de la paix : les troupes de Charles le Chauve avaient repassé les Alpes ; celles du Saint-Siège étaient occupées au sud de la péninsule contre les Sarrasins. Il s'installa à Pavie, la capitale des rois lombards. Son premier soin fut de convoquer les évêques et les seigneurs de Lombardie, et de leur proposer d'être leur souverain. Il se fit acclamer roi et reçut leur serment de fidélité. Deux ans plus tôt, ils avaient prêté le même serment à Charles le Chauve.

Il lui restait à se faire reconnaître par le pape. Il y avait à cela deux desseins : d'abord acquérir la légitimité, ensuite faire candidature à l'Empire. Ce fut pourquoi il s'empressa de faire acte de soumission et de dévouement à Jean VIII. Il promettait, en souverain chrétien et fils fidèle du Saint-Siège, de rétablir l'ordre en Italie. Mais le pape caressait un autre dessein. Ayant obtenu satisfaction du dévouement de Charles le Chauve, il imagina que le fils avait l'étoffe du père, et il projeta de lui conférer la couronne impériale.

Jean répondit à Carloman sans aménité, avec une certaine hauteur. Avec certains égards aussi, de crainte de le rebuter et de s'en faire un ennemi. Il l'engagea à tenir des pourparlers avec ses frères (non pas avec Louis le Bègue) et à revenir ensuite avec une ambassade pour traiter mûrement de la question. En outre, méfiant, il recommanda à Carloman de ne pas recevoir ses ennemis personnels.

Pour le moment, le plus grand danger n'était pas celui des Germaniques, mais celui des Sarrasins. Jean VIII écrivait à Louis le Bègue :

« On répand le sang des chrétiens. Les malheureux échappés au glaive des infidèles sont emmenés en captivité sur des rives étrangères. Les cités, les campagnes dépeuplées manquent d'habitants. Les évêques, séparés de leur troupeau désolé, viennent chercher à Rome un asile et du pain. L'année précédente, l'ennemi moissonna les champs que nous avions semés. Cette année, nous n'avons pu semer et nous n'avons pas même l'espoir de la récolte.

« Mais pourquoi ne parler que des infidèles ? Les chrétiens ne se conduisent pas mieux. Les seigneurs voisins, que vous nommez marquis, pillent les domaines de saint Pierre. Ils nous font mourir, non par le fer, mais par la faim. Ils n'emmènent pas en captivité, mais ils réduisent en servitude. Après Dieu, vous êtes notre refuge et notre consolation, notre unique espoir. Tendez la main à ce peuple désolé, à cette ville si noble et si fidèle, à l'Église votre mère, qui vous a donné la double couronne de la royauté et de la foi. »

Le duc Serge de Naples, allié des infidèles, que Charles le Chauve s'était donné pour mission de combattre, se trouvait renforcé par la mort de l'empereur. Le pape avait prononcé contre lui l'excommunication, mais il ne paraissait guère s'en soucier. L'hostilité lui vint non pas des princes allemands ou français, mais de son entourage. La ville de Naples avait pour évêque Athanase, le propre frère de Serge. Il s'éleva une querelle entre les deux, qui fut probablement plus politique que religieuse. Athanase s'empara de son frère, lui fit crever les yeux, l'envoya à Rome, et se fit reconnaître duc de Naples.

Cette cruelle punition était si bien admise à cette époque que le pape écrivit à ce frère bourreau pour le féliciter d'avoir eu raison de ce tyran criminel. Il adressa son approbation aux Napolitains, se réjouissant de ce qu'ils eussent mis fin au gouvernement d'un impie, et de l'avoir remplacé par un homme qui les gouvernerait dans la justice et la sainteté.

Athanase se garda pourtant de combattre les Sarrasins. Jean, ne pouvant plus compter sur une solution militaire, se résigna à acheter le départ des infidèles de ses États. Il signa avec eux un traité selon lequel il leur paierait chaque année vingt-cinq mille marcs d'argent.

Le pape disposait pourtant de deux vassaux que Charles le Chauve avait chargés de protéger le Saint-Siège. C'étaient les comtes Albéric de Tusculum et Lambert de Spolète. L'un et l'autre, malgré l'insignifiance de leurs titres, rêvaient d'accéder à l'imperium, arguant que c'était à un prince romain que devait revenir ce titre, et qu'aucun étranger ne devait honnêtement s'en emparer. Ils n'avaient pas tenu ce langage devant Charles le Chauve, qui possédait le prestige d'un roi de France et l'avantage de la force armée. Maintenant que celui-ci était mort et que Carloman de Bavière se tenait immobile dans Pavie, ils considéraient qu'il leur était possible d'entreprendre une action contre le Saint-Siège et de forcer le pape à leur céder.

Il leur fallait pour cela des complicités dans Rome. Ils les trouvèrent auprès de deux personnages de la Curie : le nomenclateur Grégoire, c'est-à-dire le haut fonctionnaire chargé des audiences du pape [1], et le cardinal évêque suburbicaire de Porto, Formose.

Informé que Lambert le trahissait, Jean lui adressa une lettre digne et ferme, lui interdisant de pénétrer dans Rome. Il lui enjoignait aussi de ne pas entretenir des relations avec le marquis Adalbert de Toscane, ennemi du Saint-Siège. Lambert répondit par une lettre pleine d'insolence et rejoignit Adalbert. Le pape fulmina contre lui l'excommunication. Il ne lui restait plus qu'à prendre Rome. Avec Adalbert, il réunit une armée et se dirigea vers la Ville éternelle. Plutôt que de combattre, il préféra d'abord entrer en pourparlers. Il obtint d'être reçu au Vatican, mais constatant qu'il n'obtenait rien du pontife, il retrouva ses troupes hors de Rome, pendant que ses complices romains soulevaient la populace. Il entra alors avec ses hommes d'armes, qui occupèrent les principaux bâtiments de la ville.

Ce n'était pas assez. Lambert fit saisir le pape lui-même et le jeta dans une prison. Étroitement gardé et surveillé, il n'obtenait ni qu'on lui rendît visite, ni même de recevoir la moindre nourriture. Des évêques et des prêtres s'étant rendus en procession jusqu'au lieu de sa détention, ils furent chassés à coups de bâton. Pendant ce temps, le palais du Latran était livré au pillage de la soldatesque.

Lambert expliquait sa conduite en alléguant qu'il prenait Rome et bousculait le pape afin d'obtenir l'Empire pour Carloman. Et pour mieux donner prise à cette affirmation,

---

1. D'autres auteurs font de lui le maître de la milice.

il fit rassembler les Grands de Rome et leur fit prêter serment de fidélité au roi Carloman de Bavière. C'était là une comédie : Lambert ne cachait pas à ses complices que c'était pour lui-même qu'il ambitionnait l'Empire.

C'était trop aux yeux des plus fidèles collaborateurs de Jean VIII. Ils formèrent une petite conjuration, armèrent une troupe et, une belle nuit, délivrèrent le pape. Réfugié en lieu sûr, celui-ci commença par excommunier tous les auteurs de l'attentat dirigé contre lui et contre Rome. Ne pouvant s'évader par voie terrestre, puisque les routes étaient tenues par ses persécuteurs, il parvint à s'embarquer à Ostie et débarqua à Gênes, où il fut reçu en grande vénération.

C'était évident : tous ces troubles de la chrétienté, ces invasions de Sarrasins, ces trahisons des princes italiens, ces combats entre serviteurs du Saint-Siège, ces attentats contre la personne du pape et contre les lieux saints, tout cela exigeait un concile. Le pape écrivit en ce sens aux quatre rois carolingiens : Louis II de France, Carloman de Bavière, Louis de Saxe, Charles d'Alamanie. Le prélat chargé de l'échange de correspondance fut Anspert, archevêque de Milan, qui avait servi le pape dans sa traversée. Parmi ces souverains, le plus considéré était Louis de France, soudain héritier de son père, un père en qui le pape avait placé une grande confiance. Naïf, Jean VIII supposait que le fils marchait fidèlement et glorieusement sur les traces de son père. Il le désignait comme son conseiller, et lui donnait mission de convaincre ses trois cousins d'assister au concile projeté et d'y tenir un rôle favorable à la papauté. Jean allait plus loin dans sa confiance envers le roi Louis : il lui conférait le pouvoir d'assembler les conciles.

Pour ce qui était de Carloman de Bavière, il était alors immobilisé à Pavie. La peste (ou toute autre maladie épidémique que les gens du Moyen Âge appelaient ainsi) s'était abattue sur son armée, et il ne pouvait plus ni se porter au secours de Rome, ni retrouver la Bavière. Lui-même semblait atteint, et les médecins s'empressaient à son chevet. On ne donnait pas cher de sa vie. Le rêve de l'imperium s'éloignait.

À Gênes, Jean VIII prit la mer avec sa suite et débarqua en Arles le 11 mai 878, en la fête de la Pentecôte. C'était la capitale de Boson qui, se contentant pour le moment des titres de duc de Bourgogne et de Provence et de vice-roi d'Italie, ne s'était pas encore taillé un royaume dans celui de son beau-frère. Boson était accompagné de son épouse Ermengarde et de sa belle-mère Engelberge, veuve de l'empereur Louis II. Jean VIII manifesta sa gratitude aux deux princesses. Sur la prière du duc, il accorda à Rostaing, archevêque d'Arles, les titres de vicaire apostolique et de primat des Gaules et de Germanie.

Jean continuait de prévoir le concile. Il décida de le réunir à Troyes, carrefour des routes à proximité du royaume de Saxe. Boson l'accompagna jusqu'à Lyon. Là, il adressa des émissaires au roi Louis le Bègue, qui se trouvait à Tours, et le pria de venir le rejoindre à tel ou tel lieu de son parcours.

Le pape s'arrêta ensuite à Chalon-sur-Saône. Là, il envoya des lettres aux douze archevêques de France pour leur enjoindre de convoquer leurs suffragants et de les amener au concile. Ces archevêques étaient Rostaing d'Arles, Ostramn de Vienne, Aurélien de Lyon, Robert d'Aix, Treutmann de Tarentaise, Sigibod de Narbonne, Aribert d'Embrun, Hincmar de Reims, Anségise de Sens, Frotaire de Bourges, Jean de Rouen, Artaud de Tours. À Hincmar, il écrivit plus longuement et plus personnellement, lui déclarant combien il se trouvait ravi de le rencontrer bientôt. Le pape envoya des messages semblables aux trois archevêques de Saxe, aux sièges historiques : Liutberg de Mayence, Guillebert de Cologne, Bertulf de

Trèves. Eux aussi devaient s'employer à entraîner les rois germaniques au concile.

Le pape ouvrit le concile dans la cathédrale Saint-Pierre de Troyes le 11 août 878. Il éprouva la déception de prononcer le discours inaugural devant vingt-neuf prélats, les autres ayant pris du retard sur la route, ou même voulant marquer leur indifférence à l'égard d'une assemblée inutile à leurs yeux. Encore, parmi ces prélats, faut-il compter les trois évêques italiens qui avaient accompagné le Saint-Père, Valbert de Porto, Pierre de Fossombrune et Paschase d'Ambrie[1]. On y vit huit archevêques, dont ceux de Reims, de Lyon, de Vienne et d'Arles, et dix-huit évêques seulement, parmi lesquels, celui de Troyes, Ottulf. En faveur des autres, on ne peut guère invoquer pour tous la longueur du chemin. Car on ne note pas la présence d'évêques dont le siège est relativement proche de Troyes, comme Auxerre, Châlons, Orléans et Soissons. Alors qu'on note la participation de l'archevêque fort éloigné de Narbonne. Ingelsin, évêque de Paris, était présent. Les trois rois germaniques n'avaient pas daigné se déplacer. Il est vrai que Carloman de Bavière, gravement malade, était immobilisé au-delà des Alpes.

Le discours inaugural de Jean VIII, adressé d'ailleurs à tous les princes et tous les prélats de la terre, était une exhortation *pro domo*. C'était un appel à communier à la douleur du souverain pontife, et à compatir à l'injure faite à l'Église romaine par Lambert et ses complices.

– Nous les avons excommuniés, dit le pape, et nous vous exhortons à les excommunier après nous.

À cette invitation, les évêques français, prudents, répondirent qu'il convenait de leur laisser le temps d'étudier la

---

1. Ambria, nom latin de Bergame.

question, d'autant plus que nombre d'évêques n'étaient pas encore parvenus à Troyes.

Plusieurs de ces évêques étant arrivés dans les heures qui suivirent, le pape, à la deuxième session, fit faire lecture des violences exercées par Lambert et ses complices contre l'Église romaine. Cette fois encore, à l'appel du pontife de sanctionner les coupables, les évêques répondirent qu'il n'était pas convenable de condamner sur l'heure, mais d'examiner l'affaire en commission. On passa alors aux affaires disciplinaires. Rostaing d'Arles demanda de rappeler qu'il était interdit aux prêtres de passer d'un diocèse à l'autre, et aux maris d'abandonner leur femme pour en épouser une autre. Ce fut au cours de cette session qu'Hincmar prononça une belle profession de foi à l'Église romaine :

– Je condamne ceux que condamne le Saint-Siège, je reçois ceux qu'il reçoit, je tiens ceux qu'il tient.

Il fut suivi par les autres membres de l'assemblée.

La demande des évêques de surseoir à l'excommunication n'était pas une manœuvre ni une vaine protestation. Quand ils se présentèrent à la troisième session, ils firent donner lecture de l'acte d'adhésion qu'ils avaient discuté et rédigé dans les coulisses :

« Seigneur et Père très saint, nous, évêques de Gaule et de Belgique[1], vos serviteurs et vos disciples, compatissons aux maux que les ministres du diable ont commis contre notre sainte Mère, la maîtresse de toutes les Églises, et nous adoptons unanimement le jugement que vous avez porté contre eux selon les canons, en les faisant mourir par le glaive de

---

1. La Belgique, à l'époque romaine, était la partie septentrionale de la Gaule. Au temps de Jules César, tandis que la Celtique couvrait la partie entre la Seine et la Garonne, la Belgique occupait le territoire entre la Seine et le Rhin. Au IVe siècle, la Belgique constituait deux provinces de l'Empire romain : la Belgique Ire, capitale Trèves ; la Belgique Seconde, capitale Reims.

l'Esprit. Nous tenons pour excommuniés ceux que vous avez excommuniés, pour anathématisés ceux que vous avez anathématisés. Et nous recevrons ceux que vous recevrez, quand ils auront donné satisfaction selon les règles établies. »

Les évêques ajoutent qu'ils connaissent dans leurs propres diocèses de semblables dommages, et demandent en conséquence au pape de les aider de son autorité en condamnant leurs auteurs. Il en résulta la rédaction commune d'un acte portant excommunication des usurpateurs des biens ecclésiastiques.

Ce fut le moment, pour le neveu d'Hincmar, évêque déposé de Laon, de requérir contre son oncle. Aveugle, il se présenta debout devant le pape et lui tint ce langage :

– Je fus appelé au concile de Douzy par l'archevêque de Reims, pour répondre de certains chefs d'accusation. Je m'y rendais avec diligence, quand je fus en route séparé de mes accompagnateurs par des hommes d'armes. Je fus dépouillé de tous mes biens et conduit jusqu'à Douzy. Le roi Charles y était déjà. Il tenait à la main un écrit où il m'accusait de parjure. Il m'y accusait de parjure parce que j'avais écrit à Rome sans sa permission, pour l'accuser. L'archevêque me somma de répondre. Je répondis que, dépouillé et ligoté, je n'avais aucune obligation de répondre à l'accusation. J'en appelai au Saint-Siège, tant à l'accusation qu'à la sommation de l'archevêque. Malgré cela, l'archevêque prononça contre moi une sentence de déposition... Je fus alors convoyé en exil, où l'on m'incarcéra et me mit aux fers. Après deux années, on m'a rendu aveugle. Aussitôt libéré, je suis venu à vous, en vous suppliant de me juger en conformité avec les canons. »

Il semble bien que l'archevêque n'ait pas été averti de cette attaque. Il ne pouvait s'en justifier sans réflexion et sans documents. Le pape lui donna un délai pour répondre.

La quatrième session fut consacrée aux canons disciplinaires. Le pape en avait préparé le texte, qui fut adopté à l'unanimité. Ils étaient au nombre de sept. On peut en retenir l'un ou l'autre :

Canon 1. Les grands de ce monde porteront du respect aux évêques et ne s'assoiront pas devant eux, sauf s'ils en ont obtenu la permission.

Canon 5. Un laïc ou un clerc excommunié par son évêque ne sera pas reçu par un autre, afin qu'il se trouve obligé de faire pénitence.

On lut ensuite la sentence de l'excommunication portée par le pape contre Formose, évêque de Porto, et Grégoire le Nomenclateur. Elle fut ratifiée unanimement.

Vint enfin la cinquième session. Elle fut consacrée à des querelles qui relevaient du droit canonique. Ottulf, évêque de Troyes, présenta une requête contre Isaac, évêque de Langres, qui s'était emparé de la paroisse de Vendeuvre, sise dans son diocèse. Fut ensuite accusé Frotaire, évêque de Poitiers devenu archevêque de Bourges. C'était là une translation contraire à l'usage. On fit lecture des canons du concile de Sardique (343) et autres canons qui défendent aux évêques de passer d'un siège à l'autre. Mais Frotaire était absent. Lui-même avait fait parvenir une plainte au concile contre Bernard d'Aquitaine, qui l'empêchait d'accéder à la ville de Bourges. Jean VIII avait cité les deux adversaires, l'évêque et le comte, devant le concile. Il renouvela sa sommation à Frotaire qui se présenta bientôt devant ses pairs. Il sut se défendre avec habileté. Il raconta comment le comte Bernard, l'accusant de vouloir livrer la ville de Bourges aux ennemis du roi, maintenait une troupe armée destinée à l'empêcher d'entrer dans la ville. Et il produisit des actes de l'ancienne Église accordant à un certain nombre d'évêques le transfert d'un siège à l'autre. Le pape cita une troisième fois Bernard, et comme il refusait d'obtempérer, l'assemblée l'excommunia. Frotaire fut relevé des différents chefs d'accusation qui pesaient sur lui.

Le concile se prononça alors sur la requête d'Hincmar de Laon. Elle fut jugée irrecevable, et Hérodulf, nouvel évêque de Laon, fut confirmé dans la possession de son siège. En revanche, à titre de modiques compensations, Hincmar fut admis à célébrer le sacrifice de la messe et à percevoir, pour sa subsistance, certains revenus de l'évêché de Laon.

Sigibod, archevêque de Narbonne, présenta une curieuse requête. Au civil, son archidiocèse, qui coïncidait avec la Septimanie, était encore régi par les lois gothiques. Or, celles-ci ne comportaient aucune punition du sacrilège. Le résultat fut que les sacrilèges se multipliaient impunément sur toute la province ecclésiastique de Narbonne. Le pape dicta aussitôt une décrétale aux comtes, vicomtes, centeniers et autres juges de la Gothie et de la marche d'Espagne, les adjurant d'introduire dans la loi civile le sacrilège comme crime passible de peines exemplaires.

Les affaires canoniques étant épuisées, le pape en vint aux affaires politiques, à l'affaire précisément pour laquelle il avait assemblé ce concile : le couronnement du roi Louis II de France.

La cérémonie eut lieu le 7 septembre 878, ce qui montre que les précédentes délibérations avaient duré près d'un mois. Louis le Bègue fut, en présence de toute l'assemblée épiscopale et devant de nombreux comtes et seigneurs de son royaume, sacré et couronné empereur d'Occident. Ce titre est contesté par un certain nombre d'historiens, qui invoquent le silence des textes à ce sujet : ni le pape, ni le roi, ni les *Annales de Saint-Bertin* qui racontent le sacre, ne parlent de la dignité impériale. Mais les textes ne font pas non plus état du royaume de France, laissant entendre que les auditeurs et les lecteurs savaient de quoi il s'agissait.

Au fait, pourquoi Louis aurait-il reçu le sacre royal, puisqu'il lui avait été conféré neuf mois plus tôt par

123

l'archevêque de Reims ? On invoque pour exemple Pépin le Bref, sacré tour à tour par saint Boniface, archevêque de Mayence et par le pape Étienne II. Mais Pépin avait besoin de cette reconnaissance, parce que, n'étant pas de sang royal, son élection par les Francs était contestable. De toute façon, Jean VIII aux abois n'avait pas besoin d'un roi de France mais d'un empereur. Il supposait, après la mort de Charles le Chauve son défenseur, que le fils vaudrait le père, dans sa foi et sa vaillance. C'était pour établir ce souverain impérial qu'il se déplaçait jusqu'au cœur du royaume et qu'il assemblait tout l'épiscopat des royaumes occidentaux. D'ailleurs, il est remarquable que le pape, après la mort de Charles le Chauve, n'envisage de créer aucun autre empereur. Il refuse la démarche de Carloman de Bavière, attendant de désigner son propre candidat. Ensuite, quand il se décide à sacrer Louis le Bègue, il ne convoque pas seulement les évêques et barons français, mais ceux des trois royaumes germaniques. S'il appelle à assister à un tel acte les rois de Bavière, de Saxe et d'Alamanie, c'est bien parce qu'il va consacrer un empereur. Et d'ailleurs, on ne voit le pape procéder à aucun couronnement impérial avant la mort de Louis le Bègue. Ultime argument : à son retour, Jean VIII s'arrêta à l'abbaye de Tournus pour lui accorder un privilège. Il désigna Louis le Bègue sous le titre de *gloriosus imperator*.

C'est ainsi que l'entendent un certain nombre d'historiens importants, comme l'abbé Fleury dans son *Histoire ecclésiastique* (tome XI, 1720), Baronius dans ses *Annales ecclésiastiques* (1600), Rohrbacher dans son *Histoire universelle de l'Église catholique* (1845), Sismondi dans son *Histoire des Français* (tome III, 1821), l'abbé Darras dans *Histoire générale de l'Église* (t. XVIII, 1873).

Après son couronnement, le nouvel empereur, selon le rituel, prononça le serment de fidélité à l'Église catholique, à la défense du Saint-Siège, au respect des privilèges ecclésiastiques.

Après quoi, le roi invita le pape et les dignitaires à un festin, « chez lui hors de la ville », disent les *Annales de Saint-Bertin*, sans préciser le lieu. Louis jugea le moment opportun pour réclamer de couronner la reine son épouse, Adélaïde. Le pape refusa. Louis avait eu une première femme, Ansgarde, qui lui avait donné deux fils, Louis et Carloman. Puis, sur l'injonction de son père, il avait répudié Ansgarde pour épouser Adélaïde. Or, la première femme vivait toujours. Jean, jugeant la seconde femme illégitime, refusa de la couronner. On s'étonne ici de constater que le pape ne sanctionne que la femme illégitime, et non pas le mari adultère. Si le roi Louis a répudié Ansgarde pour conclure un nouveau mariage, c'est ce mariage lui-même qui est illégitime, et le roi vit en concubinage notoire. Mais le souverain pontife, l'ayant choisi pour en faire un empereur selon ses désirs, lui accorde une faveur qui exige l'état de grâce et la soumission aux lois de l'Église.

Un cas similaire s'était présenté à l'aurore de la dynastie carolingienne. Le pape Étienne II s'était déplacé pour appliquer à Pépin le Bref l'onction royale dans l'abbatiale de Saint-Denis. La date du sacre était fixée au 28 juillet 754. Quelques jours plus tôt, la reine Berthe demanda une entrevue avec le pape, qu'elle mit au courant de sa situation conjugale. Elle continuait à résider dans le même palais que son mari, mais celui-ci entretenait une liaison avec une belle Anglo-Saxonne, femme d'un de ses leudes. Étienne convoqua Pépin et lui fit honte de sa conduite. Puis il se montra très ferme : il ne pouvait procéder au sacre d'un roi qui vivait dans le péché, qui non seulement n'était pas en état de grâce, mais au surplus était un objet permanent de scandales pour son entourage et pour son peuple. Pépin se montra à la hauteur de la situation : il renvoya aussitôt la femme adultère, qui fut enfermée à l'abbaye de Bèze au diocèse de Langres, où elle était incitée à faire pénitence pour le reste de sa vie. Il faut supposer que, de son côté, le roi s'accusa de son péché et reçut l'absolution. Jean VIII n'eut pas la rigueur d'Étienne II. Il n'exigea pas le renvoi de la pécheresse. Il se contenta de lui refuser la couronne impériale. Il n'obligea pas (du moins aucun texte ne le dit) le roi adultère à rompre et à mener une vie digne d'un souverain chrétien.

Pour conclure le concile, le pape adressa à l'assemblée un bref discours, dont le chroniqueur a retenu ces mots :

— Mes frères, il faut que vous travailliez avec moi à la défense de l'Église romaine, chef de toutes les autres Églises, jusqu'à ce que, avec le concours de Dieu et par les armes de vos soldats, nous soyons rétablis sur le trône de Saint-Pierre. Je vous prie de me promettre que vous ne différerez pas d'y donner vos soins et de me rendre là-dessus une prompte réponse. »

Puis, s'adressant au roi :

— Je vous prie, mon cher fils, de venir sans délai défendre et délivrer la sainte Église romaine, comme vos prédécesseurs l'ont fait et vous ont recommandé de le faire. Car vous êtes le ministre de Dieu contre les méchants, et ne portez pas vainement le glaive. Autrement, craignez d'attirer sur vous et sur votre royaume la peine que se sont attirée quelques anciens rois qui épargnèrent les ennemis de Dieu. Si vous n'êtes pas de cet avis, je vous conjure, au nom de Dieu et de saint Pierre, de me le répondre ici présentement sans différer. »

On devine que le souverain répondit aussitôt par un avis favorable, et une profession de dévouement au Saint-Siège. Les deux pouvoirs, l'ecclésiastique et le laïque, resserraient leurs liens pour un mutuel appui. Le pape cherchait éperdument un protecteur militaire, et supposait l'avoir trouvé dans le fils de son dernier défenseur, sans constater que ce prince balbutiant, qui n'avait encore fait les preuves ni de son dévouement à l'Église, ni de sa valeur militaire, se trouvait incapable d'assurer la paix à la papauté. De son côté, le roi, chancelant sur son trône, entouré d'ennemis personnels qui contestaient son pouvoir, voyait dans l'initiative papale un geste propre à relever son autorité et son prestige. Ce sacre, dicté par les besoins des deux parties, était, sinon une comédie, du moins une illusion qui ressemblait fort à une tromperie mutuelle.

À cette injonction du pape aux évêques, on ne connaît aucune réponse. Que faire à Rome ? Que faire en Italie ? Les récents conciles n'avaient-ils pas insisté pour que les évêques restassent implantés dans leurs diocèses, au service de leur clergé et de leurs ouailles ? Un seul de ces évêques, ému par l'appel du Saint-Père, déclara le suivre en Italie. C'était Agilmar, évêque de Clermont. En quittant le sol de France, le pape le renvoya à son diocèse. Mais, en même temps, il adressa à Louis le Bègue un message pressant pour réclamer l'envoi d'évêques francs en Italie. À quoi bon ? Quant à Louis, on ne sait s'il fit au pape, en le quittant, une quelconque promesse. Mais il se trouvait incapable de l'exécuter.

En fait, Jean VIII se sentait abandonné. Il repassa les Alpes délesté de l'espoir qui l'avait conduit de trouver en France un nouveau Charlemagne. Il n'avait plus à craindre Carloman de Bavière. Celui-ci, réduit à un état lamentable par l'épidémie qui avait décimé son armée, avait quitté Pavie, bien qu'il s'y fût fait proclamer roi d'Italie. Il s'en était retourné misérablement à Ratisbonne pour y finir ses jours.

Ce fut donc à Pavie que Jean décida de rassembler un nouveau concile, pour y faire entendre aux évêques d'Italie un discours que les évêques de France n'avaient pas voulu entendre. Il commença par reprocher à l'archevêque de Milan, Ansgert, de ne pas l'avoir aidé dans ses efforts pour remédier aux maux de l'Église. Il chargea alors Jean, évêque de Pavie, d'appeler au concile les suffragants de l'archevêque de Ravenne qui venait de mourir. C'étaient les évêques de Parme, de Plaisance, de Reggio et de Modène. On ne sait à peu près rien de ce concile de Pavie, dont les actes ne nous sont pas parvenus. Il semble qu'il en fut issu fort peu de conclusions.

Le pape gagna enfin Rome, libérée de Lambert et de ses alliés. Il y entra, acclamé par un immense concours de peuple. Piètre consolation : il apprit qu'en son absence, les Sarrasins, malgré l'or qu'il avait versé entre leurs mains, s'étaient emparés d'un certain nombre de cités maritimes de l'Italie méridionale.

Il se sentit seul devant le danger. Il adressa à Louis le Bègue une ambassade pour lui réclamer d'être fidèle au serment de son sacre. Quelle que fût la réponse (mais il l'attendait négative, si même il devait en recevoir une), il eut recours à un acte de courage militaire. Il réunit un corps de troupes, et marcha à leur tête contre les cités de la mer Tyrrhénienne que les infidèles venaient d'occuper ; et il les rejeta à la mer.

III

LA FIN DU RÈGNE
878-879

Louis le Bègue ne pouvait courir au secours du pape, non seulement à cause de son incapacité, mais surtout à cause de la situation politique et militaire de la France.

Hugues, bâtard du roi Lothaire de Lotharingie, continuait à réclamer le royaume de son père, qui avait été partagé par le traité de Meerssen entre ses oncles Louis le Germanique et Charles le Chauve. Quoique illégitime, invoquant qu'il était le fils du défunt, il guerroyait pour conquérir cet ancien royaume. Jean VIII l'excommunia au concile de Troyes. Il ne s'en soucia guère, et même, s'étant assuré le service de ses partisans, il s'empara d'un certain nombre de places.

Louis de Saxe semblait incapable de défendre sérieusement son royaume, dans lequel une partie de la Lotharingie était enclavée. Et déjà ses frères montraient un certain appétit pour un partage. Louis le Bègue sut profiter de la situation. Il n'avait pas à sa disposition des forces suffisantes pour entrer en campagne. La défaite de son père à

Andernach lui avait montré que la puissance du roi de Saxe n'était pas à sous-estimer. En outre, ce n'était pas seulement sa portion de Lotharingie qui était menacée, mais la sienne également, tant par Hugues que par Charles le Gros, roi d'Alamanie. Il résolut de s'allier à Louis de Saxe pour défendre leur bien commun. Il lui envoya une ambassade pour arrêter une entrevue.

« Notre position commune, écrivait-il, exige une union intime. Nous n'avons qu'un seul moyen pour contenir la turbulence de nos vassaux, pour nous mettre à l'abri de celle des étrangers et pour comprimer les mécontents, c'est de vivre ensemble comme chrétiens et comme frères. Il faut que tous trouvent en nous, non deux princes, mais un seul. Je vous envoie un coursier plus remarquable par sa force que par sa beauté, afin de vous prouver que je préfère en tout l'utilité au luxe. Je vous prie aussi d'agréer l'offre d'un grand pavillon, dans lequel je désire que vous teniez votre conseil, afin que la vue de ce présent impose aux malintentionnés, en leur rappelant mon amitié pour vous. Enfin, je joins à ces dons des aromates et des remèdes, et je souhaite qu'ils puissent prolonger votre vie, qui m'est aussi chère que la mienne. »

L'entrevue eut lieu le 1er novembre 878 à Fouron, près de Maestricht. Le Bègue, accommodant, déclara qu'il ne concevait aucune ambition à l'égard des terres de son interlocuteur, le pria d'oublier la campagne de son père à Andernach, et renouvela avec lui le traité de Meerssen, en gardant la frontière établie entre les deux possessions.

Cependant, les pourparlers ne pouvaient s'arrêter là. Les frères de Louis de Saxe, Carloman et Charles le Gros, étaient intéressés à l'affaire. Les deux alliés réclamèrent aux deux autres rois une rencontre destinée à régler l'affaire définitivement. Elle fut décidée pour le 6 février 879 à Gondreville sur la Moselle.

Ni Carloman ni Charles le Gros ne furent au rendez-vous. Carloman depuis sa campagne manquée en Italie, traînait une maladie de langueur, et ne se trouvait pas en état de discuter autour d'une table. Charles, se méfiant de se trouver en face de son frère et de son cousin dont il connaissait l'alliance, préféra finalement rester sur ses positions.

Louis le Bègue avait sagement acquis la paix à l'extérieur de son royaume, afin de parvenir à l'obtenir à l'intérieur. Était-il vraiment roi ? Il l'était certes dans sa personne, par un geste sacré de l'Église. Mais l'était-il dans son royaume lui-même ? Son père, non pas certes précisément par l'édit de Quierzy, mais par sa conduite même, avait partiellement créé la féodalité, en donnant à ses féaux des terres en possession personnelle ; ce que n'avaient jamais fait ni Charlemagne ni Louis le Pieux. Eux étaient véritablement empereurs. De leur palais d'Aix-la-Chapelle, centre de tous ces territoires qui leur étaient soumis, ils régnaient sur l'abondance de leurs comtes et de leurs sujets. Ils leur déléguaient territorialement le pouvoir, comme dans le régime républicain de nos jours le chef de l'État délègue son pouvoir aux préfets. Ils sont nommés, et peuvent être révoqués. Charles le Chauve fut couronné empereur à Rome, dans une ville qui n'était pas en son pouvoir, sur un ensemble mythique de terres qu'il ne possédait pas. Un empereur qui, comme nos préfets, peut être remplacé par un autre, sans lien de proche parenté.

Le souverain couronné par le pape revêt un titre, une dignité, qui le fait le bras séculier du souverain pontife. À Rome, il n'est rien : c'est le pape qui est tout. Ailleurs, le pouvoir souverain est détenu par les rois nationaux. Il lui revient de les séduire, de les combattre ou de marchander leur accord s'il veut prétendument exercer son autorité sur l'Occident chrétien. On verra bientôt Otton le

Grand, premier empereur romain germanique, exercer une souveraineté essentiellement germanique, et recevoir le pouvoir romain comme un trophée. On ne peut même pas l'entendre comme une royauté italienne, car il lui faut conquérir l'Italie. Dans la suite pourtant, les souverains germaniques sont d'abord élus par leurs vassaux Rois des Romains, territoire qu'ils ne possèdent pas, pour avoir ensuite le droit d'être couronnés par le pape empereurs germaniques, pouvoir dont ils sont déjà assurés par élection. En France, la situation est plus contradictoire encore : Charles le Chauve, puis son fils Louis le Bègue, sont nominalement empereurs d'une capitale lointaine et de fait rois d'un royaume où ils n'exercent plus leur pouvoir.

L'établissement de la féodalité fut exigé en partie par les invasions scandinaves. Éparpillées sur tout l'ouest du territoire, de l'embouchure de l'Escaut à celle de la Garonne, elles ne réclamaient pas l'intervention d'une armée qui eût attaqué leurs masses de front, comme ce serait bientôt le cas par le roi Eudes dans deux glorieuses rencontres, mais d'être repoussées dans tous les lieux où ces pillards sanguinaires se jetaient sur la population. Ce fut ainsi qu'en 864, au plaid de Pîtres, Charles le Chauve signa un capitulaire enjoignant à tous les seigneurs de bâtir des châteaux et des remparts pour défendre les populations contre les envahisseurs. Aussitôt, les castels et les murailles sortirent de terre, et les seigneurs s'entourèrent d'hommes d'armes enthousiastes à combattre.

Ces seigneurs, d'humbles représentants du roi devenus soudain des puissances locales, usèrent de leur force pour leurs propres intérêts. Ils se firent pillards, soit de leur propre chef, soit en s'alliant aux Normands. Constatant bientôt cet état anarchique de son royaume, Charles le Chauve, dès 866, ordonna de démolir les nouvelles forteresses, devenues, disait-il, des cavernes de voleurs. Certains seigneurs obéirent, plus ou moins partiellement. La

plupart conservèrent ces murs qui non seulement continuaient de protéger clercs et vilains, mais leur permettaient
d'asseoir leur puissance en résistant à leurs voisins et aux
envoyés du roi. Charles le Chauve résolut de former sa
propre armée, pour pallier la carence des seigneurs qui
refusaient de le suivre pour jouer leur propre jeu, mais
aussi pour les punir et les séduire. On avait une féodalité
dont les membres étaient de droit soumis au souverain et
de fait des adversaires du souverain.

« Il fit donc appel, écrit Ernest Mourin, aux volontaires
et s'en attacha un grand nombre par des honneurs féodaux.
Quelle que fût leur origine, pourvu qu'ils fussent coura-
geux et fidèles, il en faisait des chefs de guerre. Il enri-
chissait ces hommes nouveaux en leur distribuant les fiefs
de la couronne et au besoin d'opulentes abbayes, malgré
sa déférence pour l'Église et en dépit de ses amères réclamations. C'est ainsi que commencèrent les grandes mai-
sons féodales. La féodalité n'était pas en effet, dans ses
débuts, une noblesse impénétrable, elle était ouverte à tous
les audacieux. Les plus braves et les plus habiles y
entraient, prenaient rang, faisaient souche. Il n'y avait
guère de familles qui pussent faire remonter leur généa-
logie au-delà de deux ou trois générations[1]. »

Louis le Bègue ne trouvait pas en face de lui (et non
pas *sous* lui) cette seule noblesse récente sortie du néant.
Il voyait se dresser dans son royaume d'une part cette
noblesse neuve, qu'il avait intérêt à ménager et à élever,
d'autre part la grande noblesse héréditaire en place sous
Charlemagne et Louis le Pieux. La première gagnait à servir le roi et à lui rester fidèle ; la seconde, constatant la
faible personnalité du souverain, lui contestait son titre,
soit par mesure de chantage, soit pour lui substituer une

---

1. *Les Comtes de Paris*, Paris, 1869, pp. 13-14.

nouvelle dynastie. Le couronnement de Pépin le Bref n'était pas si lointain.

C'était à cette seconde noblesse qu'appartenaient les puissants adversaires du roi, assez orgueilleux pour lui tenir tête, assez riches pour payer des hommes d'armes : Hugues l'Abbé, Gozlin, Bernard de Septimanie, Bernard d'Aquitaine, qui avaient la prééminence dans les conseils. Ils n'avaient pas osé contrer Charles le Chauve de face, mais attendaient sa mort, qu'ils estimaient proche, pour abaisser son héritier ou au moins lui contester le pouvoir.

Le cas le plus typique de ces modestes seigneurs hissés au gouvernement de provinces entières est Robert le Fort. Fils d'un obscur comte rhénan, il est distingué, pendant la guerre féroce que se livrent les trois fils de Louis le Pieux, par Charles le Chauve, qui lui concède l'abbatiat laïc de Marmoutier. C'est un premier pas. En 856, le roi lui confie la défense du comté d'Autun contre les partisans de Lothaire II. Sa réputation de bravoure et d'entraîneur d'hommes lui fait conférer en 863 la garde de la frontière à la mort de Charles le Jeune, roi de Provence. La preuve en est faite : ce seigneur intrépide est apte à repousser les Normands qui ravagent la Neustrie. Robert est nommé marquis de Neustrie, comte d'Anjou, de Tours et de Blois. C'est, du jour au lendemain, un grand seigneur, l'un des premiers après le roi. Il combat efficacement les Danois et les Bretons armoricains leurs alliés, mais il est tué à Brissarthe en Anjou en 866.

Charles le Chauve le remplace d'abord dans son commandement par un personnage imposant, qui est, lui, d'extraction impériale : c'est Hugues, neveu par son père de l'impératrice Judith, seconde femme de Louis le Pieux, neveu par sa mère d'Ermengarde, femme de l'empereur Lothaire Ier. C'est Hugues l'Abbé. Le vaillant Robert le Fort a laissé deux petits garçons orphelins : Eudes, six ans : Robert, au berceau. Charles le Chauve en confie la tutelle à Hugues l'Abbé, qui les élève dans l'honneur et le dévouement, et permet à l'aîné, Eudes, de recevoir l'héritage de son père, la suite des comtés de la vallée de la Loire. En outre, Hugues a épousé la veuve de Conrad, comte de Paris, comté sur lequel il met la main. Quand il meurt, en 866, le jeune Eudes hérite à la fois de son père les comtés de la Loire, et de son tuteur le comté de Paris. Cet orphelin d'un ancien combattant devient le plus grand seigneur de France. En 885, alors qu'il est âgé de vingt-cinq ans, Charles le Gros, devenu roi ou régent (on ne sait trop) de France, le charge de défendre Paris contre les Normands. Il s'acquitte de cette tâche héroïquement. Quand Charles le Gros est détrôné, Eudes est élu roi de France. Il sera la souche de la dynastie capétienne.

Les comtés de la Loire, rapidement détachés des possessions de Robert et d'Eudes, vont connaître le même sort de fiefs abandonnés à des soldats de fortune. En 879, sous le règne de Louis le Bègue, Eudes, qui a dix-neuf ans et qui a hérité des terres paternelles, se sent trop jeune pour les défendre toutes personnellement. Il confie le comté d'Anjou à un guerrier admiré, Tertulle[1], fils d'un forestier breton appelé Torquat, dans le pays de Redon. Il ne se défait pas de ce comté : il en délègue la défense, surtout contre les Bretons, aussi envahisseurs que les Danois, à un vicomte. Tertulle avait un fils aussi batailleur que son père, nommé Ingelger. Quand il eut seize ans, on lui rapporta une tragédie conjugale bouleversante. La comtesse du Gâtinais, qui était sa marraine, venait d'assassiner son mari pour se donner à son amant, le seigneur Gontran (Guntramn). La justice royale était impuissante, et la justice seigneuriale désorganisée. Autant dire qu'elle n'existait pas sous Charlemagne et Louis le Pieux. Restait à

_____
1. *Les Chroniques d'Anjou* nomment ce guerrier Gosfrid, ce qui a tout l'air d'un nom scandinave, autant que celui de son fils, Ingelger.

appliquer le *jugement de Dieu* : un vengeur provoquait le coupable à un combat armé dont le vaincu était proclamé puni par la justice divine. Mais qui oserait provoquer Gontran ? Il était réputé dans toute la gent guerrière pour sa force, sa bravoure et son habileté dans le maniement des armes. Réputation qui n'effraya pas Ingelger : il somma l'amant complice de s'expliquer avec lui en champ clos. Invité, Louis le Bègue alla présider le combat, entouré de dignitaires. On s'attendait à voir ce téméraire adolescent désarçonné et abattu par ce champion des champs de bataille. Mais ce nouveau David était animé de l'esprit des vengeurs. Dès la première rencontre des cavaliers, il frappa de sa lance avec une telle fougue que le Goliath, culbuté, roula à terre. Ce fut pour son vainqueur un jeu de lui trancher la tête et de l'offrir au roi. Ingelger se désigna comme héritier de son père et devint comte d'Anjou. Comte vraiment héréditaire puisque son propre fils, Foulques Ier le Roux, fut reconnu comme tel par Charles le Simple. Sa dynastie perdura jusqu'au XIIIe siècle.

L'occupation du comté de Flandre était plus ancienne, puisque datant de Charlemagne. Celui-ci avait établi son leude Libéric grand forestier de l'Empire. En 800, il lui donna à gouverner le comté de Flandre. Ce n'était pas, certes, un fief héréditaire. Mais après la mort de l'empereur, son fils Angelramn se l'attribua, sans être contesté : c'était l'époque des luttes entre les fils de Louis le Pieux. Il mourut en 861. Et Charles le Chauve laissa son fils Baudouin (Bald-Win) lui succéder. Un acte de féodalité parmi ceux de ce roi : Baudouin put d'autant mieux s'enraciner et fonder une dynastie que, étant devenu (par rapt, puis par légitimation) gendre du roi, il était entré dans la famille carolingienne. Il fut de ceux qui, obéissant à l'édit de Pîtres, firent fortifier les villes de leur comté, particulièrement Gand et de Bruges, sans consentir ensuite à les démanteler.

Sous le règne de Louis le Bègue, le duché de Bourgogne n'existait pas encore. Les comtés dont l'assemblage le constitua dix ans plus tard étaient sans cohérence. La principale autorité y était, depuis le IVe siècle, celle de l'évêque. Le premier comte fut probablement celui de Sens, un leude du nom de Magnerius auquel Louis le Pieux abandonna ce territoire en 830, et auquel succéda son fils Douat. Celui-ci mourut en 870, et Charles le Chauve en fit un comté pour son fils Gilbert. Ce fut en 830 également que Louis le Pieux confia au leude Théodoric les comtés de Chalon et de Mâcon. Quand il mourut en 850, Charles le Chauve en constitua comte son fils Guérin, qui inaugura une dynastie un an après la mort de Louis le Bègue. En 860, Théodoric II succéda à Guérin. Vingt ans plus tard son héritage serait partagé entre ses deux fils : Manassès serait comte de Chalon et Raculfe comte de Mâcon. L'unification de ces comtés en un duché se réalisa grâce à la famille de Boson, après le décès de Louis le Bègue. Un des frères aînés de Boson, Richard, qualifié ensuite de Justicier, qui était en même temps frère de Richilde, seconde épouse de Charles le Chauve, usant de la puissance et de la renommée de son cadet, se fit, un an après la mort du Bègue, comte d'Autun. Il ne fut pas contrarié par Louis III, roi éphémère occupé à lutter contre les Normands. Sous le roi Eudes, il ajouta à ce fief les comtés de Sens, d'Auxerre et de Nevers. Ce qui lui valut d'être proclamé duc de Bourgogne, titre tout nouveau.

Le comté le plus ancien, sous Louis le Bègue, celui-là fief d'un Carolingien, fut certainement celui de Vermandois, érigé par Louis le Pieux. Celui-ci, pour punir son neveu Bernard, roi d'Italie, de sa rébellion, le fit aveugler. Pris de remords ensuite pour ce traitement barbare, il tint à donner à Pépin, fils aîné de Bernard, une compensation. Incomparable avec le dommage subi. Au lieu de lui rendre le trône d'Italie, réservé à Lothaire, fils aîné de Louis le Pieux, il lui tailla un grand comté au nord du royaume, avec pour villes principales Péronne et Saint-Quentin. Ce fut le Vermandois. Pépin mourut en 875, sous Charles le Chauve, qui partagea le Vermandois en deux comtés pour les fils du défunt. L'aîné, Herbert, fut gratifié de la plus grande part, appelée encore Vermandois, avec les villes de Saint-Quentin et de Péronne. Le cadet, Pépin II, reçut la portion méridionale, avec Crépy et Senlis. Ce fut le comté de Valois.

Louis le Bègue n'était roi que de nom. Il le savait et ne s'en effrayait pas. Déjà du temps de son père, il avait été nommé roi de Neustrie, puis roi d'Aquitaine, sans exercer dans ces royaumes fantomatiques aucune autorité. Il lui restait à assurer sa survie. Il était d'une santé chancelante, et ne se faisait guère d'illusions, bien qu'âgé de trente-deux ans, sur le reste de temps qu'il lui restait à vivre et régner. L'hérédité de son trône était d'autant plus problématique qu'il constatait de jour en jour l'anarchie dans laquelle glissait le royaume de son père et l'hostilité des Grands qui lui devaient soumission.

Auxquels d'entre eux placer sa confiance pour l'avenir ? Il n'en voyait qu'un : Boson. Il lui avait confirmé sa carrière politique, le laissant en la qualité de duc de Provence et le faisant accepter par les princes lombards comme viceroi d'Italie. En épousant sa sœur, Charles le Chauve en avait fait son beau-frère. Maintenant, Boson était devenu le favori de Jean VIII. À Troyes, ils avaient conclu un accord secret : dès la mort de Louis II de France, qui n'était plus crédible, le pape ferait de Boson un roi d'Italie et un empereur. Le Bègue ne le savait pas, mais il le devinait. Après le concile, le nouveau favori avait fait escorte au Saint-Père jusqu'à Turin. Louis le Bègue fut d'autant moins jaloux de ce favori qu'il voyait en lui l'un des agents les plus précieux pour garder son trône à sa descendance. Et pourquoi ne pas le lier à sa descendance elle-même ? Il demanda à Boson de fiancer sa fille, encore enfant, à son fils héritier, le futur Louis III, âgé de seize ans.

Il convenait maintenant de gagner à sa cause les autres feudataires les plus puissants. Au début de l'année 879, il les convoqua à Compiègne. Il y eut des promesses de part et d'autre. Orales. Les Grands avaient devant eux un interlocuteur impuissant, à la fois sans pouvoir militaire et proche de la mort. Et d'ailleurs, le principal intéressé, Louis, candidat au trône, était absent. De sa part, le Bègue promit à ses interlocuteurs de garder leurs privilèges. Eux promirent de lui transmettre le trône.

Il était temps. Au début d'avril 879, Louis le Bègue, jusque-là défaillant mais non mourant, se sentit atteint de son dernier mal. Il tint à préparer l'avènement de son fils aîné. À Hugues l'Abbé, à Boson, au comte Bernard d'Auvergne, il adressa un message pour les supplier d'apporter leur secours au nouveau Louis. À Louis, il envoya les ornements royaux : l'épée, le sceptre, le manteau de Charlemagne.

Bernard, marquis de Gothie, manifesta aussitôt sa désapprobation et son opposition. Il rassembla un nombre important de seigneurs d'Aquitaine et de Septimanie. Avec quel dessein ? Louis le Bègue, réveillant ses dernières énergies, leva lui-même une armée pour marcher contre le rebelle. Il comptait emprunter la vallée du Rhône. Mais, arrivé à Autun, il fut pris d'un dernier assaut du mal.

Il se fit transporter dans son palais de Compiègne, où il expira le 10 avril 879.

CINQUIÈME PARTIE

LES INSTITUTIONS
SOUS LOUIS LE BÈGUE

Les Carolingiens n'avaient pas de capitale. Charlemagne et Louis le Pieux se fixèrent à Aix-la-Chapelle, nouveau siège des empereurs d'Occident. Mais avec le traité de Verdun, qui déterminait la part de Charles le Chauve, les Carolingiens français n'eurent pas de résidence fixe. Déjà Pépin le Bref tient ses plaids et ses réunions gouvernementales dans ses diverses résidences, au gré des situations.

Les Carolingiens ont cependant une cour. Non pas au sens mondain, comme sous les derniers Valois ou les Bourbons, mais au sens latin de *curia*, l'assemblée du Sénat. Comme ils n'ont pas de capitale, la cour est itinérante. Elle suit le roi, se livre à son travail auprès de lui et se réunit en formation importante là où il la convoque.

La cour n'était pas constituée au gré de chaque roi. Elle résultait d'une institution qui remontait à Charlemagne. Hincmar, archevêque de Reims sous Charles le Chauve et Louis le Bègue, a publié un *Ordo Palatii* (*Organisation du gouvernement*), rédigé sous Carloman, qui est de fait celui de Charlemagne, mais de droit celui des souverains suivants, qui se conforment à cette organisation modèle. Car le premier souverain concerné la lègue à ses successeurs. Qui a vocation de gouverner ? « Le roi, répond l'auteur, la reine et leur descendance. »

Dans son chapitre sur la royauté[1], Pierre Riché montre excellemment les trois caractères du roi carolingien : il est sacré, il est justicier, il est chef de guerre.

« Le prince est une image de Dieu, un nouveau Christ. Lui et sa famille sont intouchables sous peine de péché mortel. Prenant à son compte des passages de l'Ancien Testament, Charlemagne se dit un nouveau David, et même un nouveau Josias. Ce roi qui fit réparer le Temple, remettre en application la loi de Moïse, rétablir les fonctions des prêtres et réformer la liturgie, est pour Charlemagne le modèle des princes. Comme lui, il veut « ramener le royaume qui lui a été confié par Dieu au vrai culte de celui-ci en circulant, corrigeant, exhortant. »

Sous l'autorité de tels princes, le peuple franc est un peuple élu, le nouvel Israël, qui doit se dévouer au service de Dieu. Les Capétiens garderont cette image : il est remarquable que toutes les croisades, de 1095 à 1270, seront conduites par les souverains francs. C'est ainsi que le roi carolingien nomme les évêques et les abbés, veille à l'instruction du clergé, assemble les conciles. Fonction redoutable pour cet être sacré qui n'est qu'un homme, et qui doit pratiquer, pour être digne de son éminente fonction, les plus hautes vertus. Loup, abbé de Ferrières, écrit à Charles le Chauve : « Demandez à Dieu, dans vos prières quotidiennes, de vous accorder d'entrer et de progresser dans la voie des bonnes actions... Évitez la compagnie

---

1. *Les Carolingiens*, Pluriel, 1983, pp. 329-338.

des méchants, recherchez la compagnie des bons, car (*Psaume* 17) « tu seras saint avec le saint, tu seras innocent avec l'innocent, tu seras élu avec l'élu et tu te pervertiras avec le pervers. »

Il est vrai que, dès le règne de Louis le Pieux, on voit des seigneurs se rebeller contre leur souverain, le renier, le combattre. Le prétexte invoqué est qu'il ne remplit plus son ministère, il ne se conduit plus en représentant de Dieu. D'ailleurs, on peut constater que, dans le soulèvement contre Louis le Pieux, ce ne sont pas des vassaux ou des courtisans qui se saisissent personnellement de l'empereur, qui l'incarcèrent, qui le dégradent, c'est Lothaire, fils aîné de l'empereur, lui-même sacré. Pour la rébellion contre Louis le Bègue, la raison est similaire. C'est le propre père de ce roi, Charles le Chauve, qui le considère indigne, qui le fait garder et surveiller, qui ne lui laisse pas en son absence l'exercice du pouvoir.

Le roi est justicier. C'est pourquoi, parmi les attributs qu'on lui remet le jour de son sacre, figure, à côté de son sceptre, qui est le bâton du commandement, la main de justice. « Le premier devoir du roi, reprend Riché, est de faire régner la justice et la paix publique, de protéger les faibles et les églises. » Certes, le comte aussi a le pouvoir de justice, mais c'est un pouvoir délégué, car le souverain ne peut juger toutes les causes, vu leur abondance et leur éloignement du trône. Cependant, puisque le comte n'est que juge délégué, le condamné peut juger sa sentence insatisfaisante et demander au souverain de reprendre le jugement. C'est le droit d'appel, qui figure déjà dans l'Église avec l'appel au pape.

Le roi est chef de guerre. C'est évidemment, la fonction de tous les souverains, chrétiens ou non. Toutes les dynasties commencent par un guerrier qui acquiert suffisamment d'ascendant sur ses compagnons pour prendre l'autorité politique et s'emparer du territoire où elle s'exerce.

« Le succès militaire du roi, écrit encore Riché, est un jugement de Dieu qui le désigne à un plus haut service. Ainsi, les conquêtes de Charlemagne, la victoire d'Otton sur les Hongrois, les ont conduits à l'empire. Le roi tire ses ressources de la guerre, enrichit son trésor du fruit des pillages ou de la remise des tributs des peuples vaincus. Lorsque le *Ring* des Avars est conquis par Charlemagne, quinze chars tirés par quatre bœufs sont chargés d'or, d'argent, de vêtements et autres objets précieux. « Pas une guerre, de mémoire d'homme, ne rapporta un pareil butin et un pareil accroissement des richesses », écrit Éginhard. Cette richesse permet au roi d'être généreux envers ses amis, les églises, et de s'assurer de la fidélité de ses vassaux. Sans la guerre, le roi risque de perdre sa puissance comme on le voit sous le règne du pacifique Louis le Pieux. »

L'auteur devrait ajouter que la principale possession du roi, plus que ses acquisitions monétaires, est le territoire. Comme chez les Mérovingiens, les Carolingiens ont la propriété des terres sur lesquelles ils règnent, tant par héritage que par conquête. Charlemagne a hérité de son père Pépin le Bref les territoires de la Gaule et de la Germanie en deçà du Rhin. Il lui faut plus encore. Il se fait sacrer roi d'Italie et, au prix de lourdes pertes humaines, s'empare d'une abondance de terres germaniques au-delà du Rhin. Charles le Chauve, par le traité de Verdun, avait reçu son lot de terres. Il regardait cependant sans cesse au-delà des frontières pour mettre la main sur les royaumes avoisinants, annexa la Lotharingie, se fit couronner roi d'Italie. Louis le Bègue ne peut imiter ses prédécesseurs : plus que sa propre nature, l'insoumission des Grands le privait à la fois de l'initiative du recrutement et le pouvoir affirmé des rois voisins le dissuadait d'une entreprise conquérante.

C'est par une évocation du droit de propriété qu'il faut expliquer que la féodalité était conduite à la monarchie.

Le maître du sol national, c'est le roi. De tout le sol, sans exception d'un rocher ou d'une parcelle de forêt. C'est à lui en propriété incontestable et définitive. Quand il meurt, ce territoire est, par droit du sang, hérité par son fils unique ou partagé entre ses fils. Si le défunt est peu fécond, l'héritage est facile. Pépin le Bref a deux fils : son grand royaume est partagé en deux. Charles le Simple et Lothaire n'auront qu'un seul fils ; tout l'héritage sera pour lui. L'affaire devient complexe pour les trois générations issues de Charlemagne, chez lesquelles trois héritiers se disputeront leur part. On va même, à partir d'un certain moment, vers l'héritage par primogéniture : Charles le Chauve est père de quatre fils, mais il en désigne un seul, son aîné, Louis le Bègue, pour régner après lui. Louis le Bègue a trois fils, mais il fait son testament en faveur d'un seul, l'aîné, Louis III. Ce seront les Grands qui forceront les deux aînés à se partager le royaume, ignorant le troisième, Charles le Simple, parce que trop jeune pour combattre. Louis IV d'Outremer, bien que père de deux fils, ne laissera son royaume qu'à un seul, Lothaire, tandis que le second, Charles, nanti par l'empereur romain germanique du duché de Basse-Lorraine, criera à l'injustice et se rebellera. La monarchie était en route pour l'héritage unique d'un territoire indivis, qui fut de règle chez les Capétiens.

Cette loi immémoriale et vénérable de la possession du sol par le roi a fait que tout territoire, à l'intérieur du royaume, ne pouvait faire l'objet que d'un gouvernement et non d'une propriété par un autre homme. Charlemagne partagea son empire entre ses fils, comme l'avaient fait les rois mérovingiens, parce que c'était un bien de famille. Mais, à la tête des trois cents comtés qui étaient les divisions administratives du territoire, il plaçait un délégué, le comte (*comes* : le compagnon du roi), dont la fonction était semblable à celle du préfet napoléonien. Quand

Hugues l'Abbé ou Robert le Fort accorde à un guerrier méritant un comté, il l'en charge de l'administration, parce qu'il sait qu'il n'a pas le pouvoir de *donner* cette parcelle du royaume. Quand ce guerrier s'enracine dans le comté et qu'il le *donne* à son fils, quand Charles le Chauve en concède la propriété aux occupants pour se les concilier, il transgresse la loi quatre fois centenaire de la propriété royale, et nie sa qualité héréditaire de propriétaire royal. Cette concession fera que certaines familles comtales deviendront des propriétaires plus importants que le roi, et que celui-ci perdra le pouvoir et le prestige du possesseur. Chez les derniers Carolingiens, de Charles III à Louis V, les comtes de Paris accumulent une telle quantité de domaines qu'ils sont les premiers personnages du royaume, les vrais chefs des seigneurs et des guerriers ; chacun d'entre eux est le *dux Francorum*. Louis IV d'Outremer, pourtant sacré roi des Francs, garde pour tout patrimoine le comté de Laon. Tandis qu'Hugues le Grand, « duc des Francs », possède les comtés de Paris, Orléans, Melun, Corbeil, Dourdan, Étampes, Senlis, Dreux et Montreuil-sur-Mer. Son fils, Hugues Capet, sera élu roi.

Les Carolingiens distribuèrent les comtés hérités de Charlemagne à leurs compagnons qui se distinguaient par leur bravoure et leur fidélité. À partir de Charlemagne et de Louis le Pieux, qui en usèrent cependant modérément, se forma un usage dont Charles le Chauve usa immodérément, celui de l'attribution d'une abbaye à un abbé laïc. Cette sorte de personnage, appelé abbé sans avoir fait profession monastique et ne suivant aucune règle, devenait possesseur viager d'une riche abbaye, dont il percevait les bénéfices, laissant aux moines le minimum vital. Ce genre de pratique était bénéfique tant pour le roi que pour l'attributaire. Pour le roi, car la propriété monastique échappant à la possession royale comme terre d'Église, son aliénation évitait au roi de mutiler le territoire royal.

Pour le bénéficiaire, car les moines, vivant dans la pauvreté et la pénitence, usaient fort peu de leurs revenus, et, modèles de gestion domaniale, administraient sagement leurs terres, et leur assuraient un rendement abondant. De sorte que les abbés laïcs se trouvaient parmi les plus riches seigneurs du royaume. Mais l'Église, elle, n'y gagnait pas. Ces propriétés, confisquées par des laïcs, lui échappaient spirituellement et temporellement. Spirituellement, les moines étaient privés de leur supérieur légitime, trait d'union entre eux et responsable de l'obéissance à la règle. Temporellement, le labeur des moines était accaparé par un étranger au monastère et à l'ordre, qui employait la richesse obtenue par le labeur des religieux au luxe et à la guerre, au lieu de servir au secours des pauvres.

On ne s'étonne pas de voir les grandes abbayes préférablement accordées aux membres de la famille royale. Hugues l'Abbé, abbé laïc de six fameuses abbayes, est le neveu de Judith, femme de Louis le Pieux. Gozlin, abbé de quatre éminents monastères, dont Saint-Denis et Saint-Germain-des-Prés, est petit-fils de Charlemagne par sa mère.

Charlemagne et Louis le Pieux habitaient une capitale centrale de l'Empire, Aix-la-Chapelle, adoptée pour des raisons non politiques mais sanitaires. Pépin le Bref et son fils avaient choisi ce lieu, qui en latin se disait *Aquae*, « les eaux » (sous-entendu *thermales*), pour les bienfaits de ses sources. Ce qui n'empêcha pas Charlemagne, appelé à de longs voyages et à de fréquents séjours dans son vaste empire, de se faire bâtir des palais à Worms, à Thionville, à Salz en Bavière, à Ingelheim, à Ratisbonne, à Francfort, à Compiègne. Après le partage de Verdun, Charles le Chauve, réduit à la France Occidentale, ne chercha pas à habiter une capitale qui aurait abrité le roi et sa cour. Il se fit aménager, dans ses domaines privés, des villas luxueuses, aux vastes dimensions, certaines hier mérovingiennes, qui servaient tour à tour à ses séjours et à ses réunions, et dont héritèrent Louis le Bègue, Louis III, Carloman, puis Charles le Simple et Louis d'Outremer. Ces domaines étaient situés, pour le plus grand nombre, au nord de la Seine, où l'on en compte une vingtaine.

Les deux plus fréquentés, que l'on retrouve avec Louis le Bègue, étaient Quierzy et Compiègne. Quierzy était situé sur la rive gauche de l'Oise, à trois lieues à l'est de Noyon. Les bâtiments avaient été aménagés pour des réunions nombreuses. Ce fut dans cette propriété que, en 842, le Chauve épousa Ermentrude. En 858, il y rencontra Lothaire II pour sceller une alliance en face de Louis le Germanique. En 873, il y convoqua une assemblée pour l'approuver d'aveugler et de chasser son fils Carloman. Le palais est surtout célèbre pour avoir abrité, en juin 877, l'assemblée qui adopta le fameux capitulaire relatif à l'héritage des fils des possesseurs des fiefs.

Compiègne fut probablement le palais préféré de Charles le Chauve, qui y fit agrandir et enrichir le bâtiment hérité de Charlemagne. Il y fit construire une chapelle sur le modèle d'Aix et y installa le tribunal royal. À Attigny, également sur l'Aisne, à l'est de Rethel, Louis le Germanique s'installa quand il envahit le royaume de Charles. Le palais de Ponthion sur la Marne, au sud de Châlons, accueillit en 876 l'assemblée des Francs qui acclama Charles empereur.

Charles le Chauve, et ensuite son fils Louis le Bègue, ont hérité des institutions de Charlemagne, légèrement transformées.

Si nous suivons encore l'*Ordo Palatii* d'Hincmar, nous trouvons chez Charlemagne et Louis le Pieux, pour diriger l'administration de l'Empire, deux hauts personnages qui se partagent les responsabilités politiques et diplomatiques. Le plus important, sous Charlemagne, l'*apocrisiaire*,

« officier préposé aux affaires ecclésiastiques », devint sous Louis le Pieux l'archichapelain. Au départ, aumônier du roi, il fut chargé par la suite de la responsabilité de toutes les affaires ecclésiastiques. La seconde dignité était celle d'*archichancelier*, chargé de présenter au souverain les requêtes, d'en communiquer les réponses, d'expédier les diplômes et les chartes.

Sous Charles le Chauve[1], la multiplication des affaires administratives s'étant développée, la charge d'archichancelier prend une place capitale. Il nomme à cette fonction son cousin Louis, fils illégitime de Rotrude, fille de Charlemagne, et de Rorgon, comte du Maine. Il la conserva vingt-sept ans. À titre de rétribution, le roi lui donna les abbayes de Saint-Denis, de Saint-Riquier et de Saint-Wandrille. Après sa mort en 867, le roi le remplaça par son demi-frère Gozlin (ou Gauzlin), qui fut un agent actif dans les négociations des Grands qui accordèrent la couronne à Louis le Bègue. Il fut pourvu des abbayes de Saint-Germain-des-Prés, de Saint-Denis, de Jumièges et de Saint-Amand. Il avait participé à la bataille d'Andernach à côté de Charles le Chauve où il fut fait prisonnier. Sous Charles le Gros, il fut avec le comte Eudes un héroïque défenseur de Paris contre les Normands.

Sous les ordres de l'archichancelier, un ensemble de notaires s'appliquaient à la rédaction des actes. L'un d'entre eux, le *magister*, avait une prééminence et contrôlait le travail. Loin d'avoir le statut de fonctionnaires, ces copistes étaient rémunérés par les destinataires. C'est l'archichancelier qui a la garde du sceau royal, et qui peut donc seul sceller l'acte avant l'expédition.

---

1. À partir de ce paragraphe, de nombreux éléments sont puisés dans Robert-Henri Bautier, *La Chancellerie et les actes royaux dans les royaumes carolingiens*, *in* Bibliothèque de l'École des Chartes, 1984, t. 12.

Ce fut Louis le Germanique qui le premier, en 854, unit sous un seul personnage les charges de la chapelle et de la chancellerie. Charles le Chauve suivit, d'une façon plus hésitante. Plus exactement, à la fin du règne, tandis que l'archichapelain était Hugues l'Abbé et l'archichancelier Gozlin, le véritable administrateur de leurs services, qui cumulait les deux fonctions, était un certain notaire du nom de Vulfard. Pourquoi cette importance ? Ce Vulfard est simplement le frère d'Adélaïde, seconde femme de Louis le Bègue. Gozlin étant un jour révoqué, il fut nommé à sa place.

La chancellerie royale procédait à l'expédition de diplômes ou préceptes, de mandements et de lettres.

Les diplômes, définit Robert-Henri Bautier, « sont des actes gracieux, intitulés au nom du souverain, reconnus en chancellerie et validés par le sceau royal ».

Le mandement est un acte royal « par lequel le souverain donne un ordre à l'un de ses agents ou à un groupe d'agents dont la désignation est précisée soit dans une adresse, soit dans la notification ».

À côté des deux hauts personnages dont nous venons de constater les fonctions, siègent deux autres dont l'importance n'est pas moins grande.

D'abord, le *chambrier*. Pour ce qui est de lui sous Charlemagne, Hincmar n'en parle guère. Il était cependant un personnage éminent : le gardien de la chambre impériale, c'est-à-dire du lieu où était entreposé le trésor de Charlemagne. Sous Charles le Chauve et Louis le Bègue, il est devenu le chef de l'administration domaniale et financière. Cette fois donc, non seulement un responsable des richesses accumulées, mais celui de la production de la richesse : un ministre des finances et non plus un banquier. Il gouverne et surveille le fisc ; il entretient des relations suivies avec les agents de l'organisation financière.

Les principales ressources des finances royales, hors les pillages royaux des villes vaincues, étaient l'exploitation des terres royales dont les agents percevaient l'impôt, et la frappe de la monnaie. Charles le Chauve en multiplia les ateliers, au point d'en laisser à Louis le Bègue une centaine. L'extraction du métal précieux était d'ailleurs difficile, car la France en possédait fort peu de gisements. Il était important de se le procurer par les impôts ou l'amende.

Ensuite, le comte du Palais (*comes Palatii*) qui était en même temps le comte du tribunal royal. Il n'était pas lui-même un juge, mais un ministre de la justice. Il recevait pour information et pour examen les actes des jugements établis par les tribunaux, et rédigés par des notaires spécialisés. La justice elle-même était rendue au nom du roi. On ne nous dit pas si Louis le Bègue, victime de son infirmité, a souvent présidé le tribunal royal. Charles le Chauve recevait parfois en appel des victimes, des personnages puissants. Les comtes dans leurs fiefs et les abbés sur leur terre avaient le droit de justice. Mais, craignant trop souvent l'examen de leurs jugements par le comte du Palais, ils négligeaient, quand le litige dépassait leur compétence ou la peine était trop injuste, d'en établir le diplôme.

CONCLUSION

Louis II le Bègue ne fut pas un mauvais roi, il fut un roi malvenu.

Dans le contexte familial d'abord. Il resta jusqu'à son règne personnel, c'est-à-dire jusqu'à l'âge de trente ans, sous la coupe d'un père sourcilleux et jaloux, qui craignait la moindre concurrence de ses fils. Il montra d'ailleurs une certaine volonté de s'émanciper, d'abord en choisissant lui-même, contre toute la tradition monarchique, son épouse, mais aussi en osant, dès l'âge de seize ans, se révolter contre ce père dominateur. Père terrible, Charles le Chauve n'hésita pas à faire aveugler le cadet de Louis coupable d'opposition armée. Si Louis fut épargné, ce fut parce qu'il n'avait pas un héritier de rechange : il fut sauvé par la nécessité de garder un successeur de sang royal. Mais il fut tenu à tel point loin des affaires qu'il ne put apprendre son métier de roi.

Dans le contexte politique ensuite. Cet héritier désigné d'un souverain de droit divin, au lieu de recevoir toutes les

155

attentions que les courtisans doivent à un tel prince, naît et grandit au moment de la naissance de la féodalité. Il est environné d'ambitieux et d'intrigants qui veulent échapper à toute suzeraineté, et dont certains complotent pour le priver de son trône en l'offrant à un souverain étranger. Son autorité est tout juste tolérée quand il est sacré, mais il n'est pas le maître dans son royaume.

À ces détresses dues au milieu s'ajoutent celles qui frappent sa propre personnalité. Dès son enfance, il est affligé d'un défaut de la parole qui lui vaut son sobriquet et qui le met en difficulté dans les discussions. Et il traîne une maladie, non identifiée mais pernicieuse, qui le met au tombeau à l'âge de trente-deux ans.

Sorti des griffes paternelles, Louis le Bègue eut le temps de se montrer un guerrier brave en combattant les envahisseurs normands, et un souverain sage en consentant au roi Louis de Saxe un traité qui lui évita une guerre désastreuse.

Louis le Bègue aurait fait un tranquille roi mérovingien avec un maire du palais actif et des antrustions pieusement serviles. Il était venu en un autre temps.

ANNEXES

ANNEXES

CHRONOLOGIE

842 : Charles II le Chauve épouse Ermentrude d'Orléans.

843 : À Dugny, traité de Verdun entre les trois fils de Louis le Pieux. Charles le Chauve devient roi de la *Francia Occidentalis*.

846 : 1er novembre. Naissance de Louis le Bègue, fils aîné de Charles le Chauve.

847 : Naissance de Charles, second fils de Charles le Chauve.

849 : Naissance de Carloman, troisième fils de Charles le Chauve.

851 : Naissance de Lothaire, quatrième fils de Charles le Chauve.

854 : Carloman tonsuré destiné à l'abbatiat laïc.

855 : Charles le Jeune roi d'Aquitaine.

856 : Louis le Bègue roi de Neustrie.

860 : Louis le Bègue abbé laïc de Saint-Martin de Tours.

862 : Louis le Bègue épouse de son propre chef Ansgarde, fille du comte Hardouin de Bourgogne.

Révolté, il combat Robert le Fort. Vaincu, il perd la couronne de Neustrie et devient comte de Meaux.

866 : Mort de Charles le Jeune, roi d'Aquitaine.

867 : Janvier. Louis le Bègue couronné roi d'Aquitaine.

Il répudie Ansgarde et épouse Adélaïde, fille d'Adalard, comte en Bourgogne.

870 : Carloman révolté, capturé et incarcéré.

Traité de Meerssen entre Charles le Chauve et Louis le Germanique.

Charles le Chauve épouse Richilde.

873 : Carloman, évadé et de nouveau rebelle, est capturé, aveuglé et confié à son oncle Louis le Germanique.

875 : À Rome, Charles le Chauve couronné empereur par Jean VIII.

876 : À Pavie, Charles le Chauve couronné roi d'Italie.

Sur le Rhin, Charles le Chauve vaincu par Louis de Saxe à Andernach.

877 : Expédition en Italie de Charles le Chauve, qui meurt au pied des Alpes (6 octobre).

8 décembre. Louis le Bègue couronné roi de France.

878 : Jean VIII, évadé de Rome, aborde Gênes, puis Arles, et ouvre à Troyes (11 août) un concile au cours duquel il sacre (7 septembre) Louis le Bègue empereur.

Novembre. Entrevue à Fouron entre Louis le Bègue et Louis de Saxe.

879 : 10 avril. Mort de Louis le Bègue à Compiègne.

Assemblée de Creil qui offre la couronne à Louis de Saxe.

Assemblée de Meaux qui dédommage Louis de Saxe en lui accordant la Lotharingie française.

879 : Septembre. Anségise, archevêque de Sens, sacre Louis III et Carloman.

15 octobre. Boson roi de Provence.

880 : Mars. Louis III et Carloman se partagent le royaume.

Août. Louis et Carloman attaquent Boson et prennent Mâcon.

ANNEXES

881 : Août. Victoire de Louis III sur les Normands à Saucourt.

882 : 5 août. Mort de Louis III. Carloman roi de toute la
France.

BIBLIOGRAPHIE

Sources :

Annales Bertiniani (*Annales de Saint-Bertin*), éd. Waitz, 1983, in *Monumenta Germaniae historica.*
Annales Fuldenses (*Annales de Fulda*), *ibid.*, 1891.
Annales regni Francorum, *ibid.*, 1833.
Raoul GLABER, *Historiae*, *ibid.*, 1833.
FLODOARD, *Historia Remensis Ecclesiae* (*Histoire de l'Église de Reims*), *ibid.*, 1881.
Réginon DE PRÜM, *Chronicon*, *ibid.*, 1890.
BARONIUS, *Annales Ecclesiastici*, t. IX, Paris, 1600.
Liber Pontificalis, éd. Duchesne, t. III, Paris, 1892.

Études :

Claude FLEURY, *Histoire ecclésiastique*, t. XI, Paris, 1720.
SISMONDI, *Histoire des Français*, Paris, 1821, t. III.

L.-Ph. DE SÉGUR, *Histoire universelle, ancienne et moderne*, t. XIII, Paris, 1831.

R.-F. ROHRBACHER, *Histoire universelle de l'Église catholique*, t. V, Paris, 1900.

DARRAS, *Histoire générale de l'Église*, t. XVIII, Paris, 1873.

Émile AMANN, *L'Époque carolingienne*, Bloud et Gay, 1937.

Pierre RICHÉ, *Les Carolingiens*, Pluriel, 1983.

Pierre RICHÉ, *Dictionnaire des Francs*, Bartillat, 1997.

Président HÉNAULT, *Abrégé chronologique des grands fiefs de la Couronne de France*, Paris, 1759.

Ph. DE SÉGUR, *Histoire des Carolingiens*, Paris 1954.

Émile BABELON, *Les Derniers Carolingiens*, Paris, 1878.

Ferdinand LOT, *La Naissance de la France*, Fayard, 1948.

Émile MOURIN, *Les Comtes de Paris*, Paris, 1869.

Paul ZUMTHOR, *Charles le Chauve*, Tallandier, 1957.

Janet NELSON, *Charles le Chauve*, Aubier, 1994.

Ivan GOBRY, *Charles II*, Pygmalion, 2007.

MILLER, VANDOME et Mc BREWSTER, *Louis II de France*, Alphascript Publishung, 2011.

Robert-Henri BAUTIER, *La Chancellerie et les actes royaux dans les royaumes carolingiens*, Bibliothèque de l'École des Chartes, t. 12, 1984.

NOTICES BIOGRAPHIQUES

ARNULF (850-899) ou Arnoul. Fils naturel de Carloman, lui-même fils aîné de Louis II le Germanique. D'abord duc de Carinthie, est élu en 887 roi de Germanie à la suite de Charles le Gros. Reconnaît Eudes de Paris comme roi de France. En 896, il prend Rome au pouvoir de Lambert et se fait couronner empereur par le pape Formose.

BAUDOUIN Ier dit BRAS DE FER. Comte de Flandre (861-877). Fils d'Angelramn, lui-même comte sous Louis le Pieux. Il enlève puis épouse (862) Judith, fille de Charles le Chauve. Gendre du roi, il agrandit son minuscule fief des comtés de Gand, de Waes et de Ternois, constitution du grand comté de Flandre. Son fils Baudouin II fera assassiner en 898 l'archevêque de Reims.

BERNARD. Roi d'Italie (813-818). Fils de Pépin, lui-même fils de Charlemagne, et roi à la mort de son père. Il lève une armée contre Louis le Pieux, qui le capture et lui fait crever les yeux, supplice dont il meurt quelques jours plus tard.

BERNARD (800-844). Duc de Septimanie, ou Gothie. Fils de Guillaume d'Aquitaine, devient en 820 duc de Septimanie, marquis d'Espagne et comte de Barcelone. En 828, appelé à Aix-la-Chapelle par la faveur de l'impératrice Judith, pour y exercer les rôles de premier ministre et de gouverneur de Charles le Chauve. En 830, lors de la révolte des fils de Louis le Pieux, s'enfuit sur ses terres et se range habilement au côté de l'empereur Lothaire. Arrêté en 844 par Charles le Chauve pour sa complicité avec les rebelles d'Aquitaine, est condamné à mort et décapité.

BOSON (†897). Fils du comte Bivin, abbé laïc de Gorze près de Metz, il est le frère de Richilde, deuxième femme de Charles le Chauve ; de Bernoin, archevêque de Vienne, et de Richard le Justicier, comte d'Autun et futur duc de Bourgogne. En 869, Charles le Chauve, s'emparant de Lyon, en fait comte Boson, puis, en 876, devenu roi d'Italie, il fait de Boson, qu'il marie à Ermentrude, fille du défunt empereur Louis II, un duc de Provence et un vice-roi d'Italie. À la mort de Louis le Bègue, Boson se proclame roi de Provence. Son fils Louis l'Aveugle sera roi de Provence (890), puis empereur (901).

1. CARLOMAN (†754). Frère aîné de Pépin le Bref, duc d'Austrasie puis moine au Mont Cassin.

2. CARLOMAN (†771). Fils de Pépin le Bref, frère cadet de Charlemagne, roi des Francs avec son frère en 768.

3. CARLOMAN (829-890). Fils aîné de Louis le Germanique. En 842, commande une armée contre l'empereur Lothaire. En 875, dirige une armée qui franchit les Alpes pour empêcher (vainement) Charles le Chauve de se faire couronner empereur. En 876, à la mort de son père, devient roi de Bavière. En 877, à la mort de Charles le Chauve, se proclame roi d'Italie. Son fils naturel Arnulf sera roi de Germanie, puis empereur.

4. CARLOMAN (849-876). Troisième fils de Charles le Chauve. Fait à onze ans abbé laïc de Saint-Médard de Soissons. Réclame plus, et reçoit les abbayes de Saint-Arnoul, de Lobbes et de Saint-Riquier. En 870, conspire contre son père, est incarcéré à Senlis. Libéré sous condition, il forme une armée dans le nord du royaume. Excommunié par Hincmar, il est capturé. Son père lui fait crever les yeux et l'envoie à Louis le Germanique, auprès duquel il meurt trois ans plus tard.

5. CARLOMAN (869-884). Roi de France (879-884). Second fils de Louis le Bègue. Roi en 879, d'abord conjointement avec son frère aîné Louis III, puis, quelques mois plus tard, de la moitié méridionale de la France ; enfin, à la mort de son frère en 882, souverain de tout le royaume. Vainqueur des Normands à Avaux et à Vicogne.

1. CHARLES Iᵉʳ LE GRAND ou CHARLEMAGNE (742-814). Fils de Pépin le Bref et père de Louis le Pieux. Roi en 768 avec son frère Carloman, seul roi en 771 à la mort de son frère, couronné en 800 empereur d'Occident.

2. CHARLES (772-811). Fils aîné de Charlemagne et de Hildegarde. Associé au trône comme héritier de l'Empire. Mort trois ans avant son père.

3. Charles II le Chauve (823-877). Fils de Louis le Pieux et de sa seconde femme Judith de Bavière. En 829, violant la charte d'Aix, l'empereur fait attribuer à ce fils un royaume composé pour l'essentiel de l'Alamanie et de la Rhétie. En 830, ses frères révoltés contre leur père le font enfermer dans un monastère. Mais, l'année suivante, Louis le Pieux, ayant recouvré sa liberté et son autorité, donne à Charles pour royaume la Francie, entre la Meuse et la Loire. En 838, il est en outre gratifié de l'Aquitaine. En 839, Louis de Bavière s'étant à nouveau révolté contre son père, l'Empire est partagé entre Lothaire et Charles, qui ajoute à ses possessions la Bourgogne et la Provence. Mais, en 840, à la mort de Louis le Pieux, Lothaire, prétendant appliquer la charte d'Aix, tente de reconquérir l'Empire contre ses frères Louis et Charles. Il est vaincu par eux le 25 juin 841 à la terrible bataille de Fontenoy, près d'Auxerre. L'année suivante, Louis et Charles raffermissent leur alliance par le Serment de Strasbourg et se partagent l'Empire, tandis que Lothaire s'en retourne en Italie. En 843, par le traité de Verdun, les trois frères revoient le partage à l'avantage de l'aîné. Charles constitue une fois pour toutes son royaume par les frontières naturelles de l'Escaut, la Saône, le Rhône et les Pyrénées. En 870, par le traité de Meerssen, à la mort de Louis, roi de Lotharingie, Charles et Louis se partagent son royaume. En 875, Charles se fait couronner empereur à Rome, puis, au retour, roi d'Italie (876). Protecteur des lettres et des arts, Charles le Chauve a porté à son sommet la Renaissance carolingienne inaugurée par Charlemagne.

4. Charles le Gros (839-888). Troisième fils de Louis le Germanique, il reçoit en 876, à la mort de son père, la royauté de l'Alamanie, puis, à la mort de son frère aîné Carloman, la couronne d'Italie. Empereur en 881,

couronne vacante à la mort de Louis le Bègue en 879, il se rend insupportable par ses exactions. En 884, il est désigné par les Grands de France pour succéder au roi Carloman. Fut-il roi lui-même ou simplement régent ? Les avis sont partagés tant par ses contemporains que par les historiens modernes.

5. CHARLES III LE SIMPLE (879-929). Fils de Louis le Bègue et de sa seconde femme Adélaïde. En 884, à la mort de son demi-frère le roi Carloman, il n'a que cinq ans et les Grands lui préfèrent son cousin Charles le Gros. En 888, il n'a encore que neuf ans, et les Grands élisent cette fois un prince étranger à la dynastie carolingienne, le comte Eudes de Paris. En 893, ses partisans continuant de reconnaître sa légitimité, il est sacré par Foulques, archevêque de Reims. Finalement, en 898, Eudes meurt en demandant aux Grands de reconnaître pour roi légitime Charles le Simple. En 911, par le traité de Saint-Clair-sur-Epte, il fait la paix avec le chef normand Rollon en lui abandonnant comme vassal une portion du territoire qui sera bientôt le duché de Normandie. Son mépris pour ses vassaux leur fait élire pour roi, en 922, Robert de Paris, frère cadet d'Eudes. En 923, à la bataille de Soissons, il est vaincu, mais Robert est tué. Le gendre de celui-ci, Raoul de Bourgogne, lui succède. Capturé par le comte Herbert de Vermandois, il meurt prisonnier à Péronne en 929.

6. CHARLES LE JEUNE (845-863). Troisième fils de l'empereur Lothaire. Roi de Provence en 855 sous la tutelle de Girart de Vienne, il meurt prématurément, victime d'une double faiblesse physique et mentale.

1. ERMENGARDE (†818). Impératrice d'Occident. Fille du comte Ingramn, mariée à Louis le Pieux en 794. Elle est

la mère de l'empereur Lothaire, de Pépin roi d'Aquitaine, de Louis le Germanique ; d'Alpaïde, épouse de Bégon, comte de Paris ; de Hildegarde, abbesse de Laon.

2. ERMENGARDE (815 ?-851). Impératrice d'Occident. Fille du comte Hugues de Tours, mariée en 821 à l'empereur Lothaire. Mère de onze enfants, dont l'empereur Louis II, Lothaire, roi de Lotharingie, et Charles, roi de Provence.

3. ERMENGARDE (856-897). Reine de Provence. Fille de l'empereur Louis II, mariée en 877 à Boson, vice-roi d'Italie, devient reine de Provence, qu'elle continue de gouverner après la mort de Boson (887) comme tutrice de son fils, l'empereur Louis III l'Aveugle.

ERMENTRUDE (†869). Reine de France. Fille du comte Eudes d'Orléans, épouse en 842 Charles le Chauve. Mère du roi Louis II le Bègue, de Charles d'Aquitaine, des princes Carloman et Lothaire, de Judith, femme de Baudouin Ier de Flandre.

EUDES (860-898). Fondateur de la dynastie capétienne. Fils de Robert le Fort, marquis de Neustrie. Devient en 882 comte de Paris, qu'il défend en 885-886 contre la fureur des Normands. En février 888, est élu et sacré roi de France. Remporte sur les Normands les victoires de Mont-faucon en Argonne (888) et de Montpensier en Auvergne (893). Meurt le 1er janvier 898 après avoir demandé aux Grands de reconnaître pour roi le Carolingien Charles le Simple. Frère aîné du roi Robert Ier, oncle du duc des Francs Hugues le Grand et grand-oncle d'Hugues Capet.

GIRART (ou GIRARD) DE ROUSSILLON (en Provence) (†879). Duc de Vienne et marquis de Provence. Il épouse

Berthe, fille du comte Hugues de Tours et sœur d'Ermengarde, femme de l'empereur Lothaire. Tuteur de Charles le Jeune, roi de Provence, et gouverneur de ses États, il est le fondateur des monastères de Pothières et Vézelay et le héros de la chanson de geste, *Girart de Roussillon.*

GOZLIN (GAUZLIN). Évêque de Paris de 884 à 886. Fils de Rorgon, duc du Maine. Reçoit de nombreux bénéfices, notamment les abbayes de Saint-Germain-des-Prés, de Jumièges, de Saint-Denis et de Saint-Amand. Évêque de Paris, soutient héroïquement avec le comte Eudes le siège des Normands, au cours duquel il meurt.

HINCMAR (806-882). Archevêque de Reims de 845 à 882. D'abord moine de Saint-Denis, il succède à Ebbon sur le siège de Reims. En politique, solide soutien de Charles le Chauve, il est en outre l'auteur d'*Annales* précieuses pour la connaissance de cette époque, et d'un *Ordo Palatii*, qui décrit les institutions carolingiennes.

HUGUES L'ABBÉ (830-886). Personnage qui a dominé l'histoire du IXe siècle. Fils de Conrad, abbé laïc de Saint-Germain d'Auxerre, et d'Adélaïde, fille du comte Hugues de Tours, il est par son père neveu de Judith, femme de Louis le Pieux, et par sa mère neveu d'Ermengarde, femme de l'empereur Lothaire Ier. Sa désignation courante vient de ce qu'il est abbé laïc des riches abbayes de Saint-Germain d'Auxerre, de Saint-Bertin, de Saint-Martin de Tours, de Marmoutier, de Sainte-Colombe de Sens, de Saint-Aignan d'Orléans. En 866, à la mort de Robert le Fort, il reçoit la tutelle de ses deux fils, Eudes et Robert, qui deviendront tour à tour rois de France. Il sauve en 879 le trône de Louis III et Carloman en les faisant sacrer par l'archevêque de Sens.

JEAN VIII (820-882). Pape de 872 à 882. Archidiacre de l'Église romaine quand meurt Adrien II, le 14 décembre 872, il est élu dès le lendemain pour lui succéder. Le 25 décembre 875, il couronna Charles le Chauve empereur dans la basilique Saint-Pierre. Dès que Charles eut quitté Rome, une conjuration de vassaux tenta de s'emparer de la ville. Le pape s'enfuit pour retrouver Charles le Chauve, à ce moment en Lombardie. Mais Charles, malade, expira le 6 octobre 877. Jean, retourné à Rome, fut capturé par Albéric de Tusculum et jeté en prison. Parvenant à s'évader, il gagna Arles, et réunit à Troyes le 11 août 878 un concile au cours duquel il couronna empereur le roi Louis le Bègue. Celui-ci mourant en avril 879, Charles le Gros se rendit aussitôt à Rome où il reçut la couronne impériale, le 25 décembre 879. Jean mourut le 15 décembre 882, et eut pour successeur Marin Ier, qui ne connut que quatorze mois de pontificat.

JUDITH DE BAVIÈRE (800-843). Impératrice d'Occident. Fille de Welf de Ravensburg, seigneur en Bavière, elle devient en 819 la seconde épouse de Louis le Pieux. Elle met au monde en 820 Gisèle et en 823 Charles le Chauve. En 829, elle fait attribuer à ce fils un royaume taillé au centre de l'Empire, provoquant la révolte de ses beaux-fils. Quand, en 830, l'empereur est déposé, elle est enfermée à l'abbaye Sainte-Croix de Poitiers, et contrainte de prendre le voile. Bientôt rétablie, elle est à nouveau destituée en 833 et enfermée dans la forteresse de Tortone, dont elle est délivrée en 835. Elle meurt à Tours, où elle est inhumée.

JUDITH (843-871). Fille aînée de Charles le Chauve. Personnage romanesque, elle est donnée en mariage à l'âge de douze ans à Aethelwulf, roi de Wessex. Veuve à quatorze ans, elle épouse son beau-fils Aethelbald, successeur de son père. Menacée d'excommunication, elle rompt, retourne en France et est emprisonnée par son père à Senlis. Baudouin Bras de Fer, comte de Flandre, parvient à l'enlever et, désavoué par le roi, s'enfuit avec elle à Rome, où le pape Nicolas Ier autorise leur mariage. Elle fut la mère du comte de Flandre Baudouin II le Chauve.

1. LOTHAIRE (795-855). Troisième empereur d'Occident. Fils aîné de Louis le Pieux et d'Ermengarde, est créé en 814 roi de Bavière, puis, en 817, associé à l'Empire, enfin en 822 roi d'Italie. En 829, l'attribution d'un trône à son frère consanguin Charles le Chauve, au mépris des serments prononcés, le jette dans la contestation, puis, en 830, dans la rébellion armée. Il accule Louis le Pieux à l'abdication, le tient en captivité. Il doit s'enfuir devant ses frères qui, indignés d'un tel traitement, délivrent leur père. En 833, les trois frères aînés ligués remportent sur Louis le Pieux la victoire de Rothfeld en Alsace. Lothaire se proclame empereur, fait enfermer son père à l'abbaye Saint-Médard de Soissons et Charles le Chauve dans celle de Prüm. À nouveau, ses frères Pépin et Louis délivrent leur père. Lothaire s'enfuit à Vienne sur le Rhône. Louis le Pieux est réhabilité. À la mort de l'empereur en 840, Lothaire tente de s'emparer du territoire impérial accordé par la charte de 817. Il est vaincu par Louis et Charles dans la terrible bataille de Fontenoy-en-Puisaye. Finalement, par le traité de Verdun, signé à Dugny en 843, les trois frères se partagent l'Empire sur un pied d'égalité, Lothaire gardant le titre d'empereur et tenant sa cour à Aix-la-Chapelle. Malade, il abdique, après avoir partagé ses États entre ses trois fils, Louis II, Lothaire et Charles le Jeune. Il se retire à l'abbaye de Prüm, où il meurt le 28 septembre 855.

2. LOTHAIRE (835-869). Roi de Lotharingie. Dit parfois incorrectement Lothaire II, puisqu'il n'a pas occupé le même trône que son père. Second fils de l'empereur Lothaire. En 855, à la mort de son père, reçoit le royaume qui porte désormais son nom, la Lotharingie, partie médiane de l'Empire entre la France Orientale (Germanie) et la France Occidentale. En 869, il se rend à Rome pour tenter de se justifier d'avoir répudié son épouse légitime Teutberge, mais il est frappé au retour d'une maladie mortelle.

3. LOTHAIRE (851-865). Quatrième fils de Charles le Chauve. Abbé laïc de Saint-Germain d'Auxerre. Meurt prématurément.

4. LOTHAIRE II (†950). Roi d'Italie (947-950). Fils d'Hugues, duc de Provence, puis roi d'Italie, lui-même petit-fils de Lothaire II, roi de Lotharingie.

5. LOTHAIRE (940-986). Roi de France de 954 à 986. Fils de Louis IV d'Outremer et de Gerberge de Saxe. Épouse Emma, fille de Lothaire II, roi d'Italie. Père de Louis V, dernier roi carolingien de France.

1. LOUIS Ier LE PIEUX OU LE DÉBONNAIRE (778-840). Deuxième empereur d'Occident (814-840). Quatrième fils de Charlemagne, reste le seul vivant à la mort de son père, et hérite de l'Empire dans sa totalité. D'abord sacré à Rome roi d'Aquitaine par Adrien Ier (781), est en 813 associé à l'Empire et couronné. En 817, assemblée d'Aix-la-Chapelle, où est partagé prématurément l'Empire entre Lothaire, Pépin et Louis. En 819, veuf d'Ermengarde, épouse Judith de Bavière, qui donne naissance en 823 à Charles le Chauve. En 830, une conjuration des fils de Louis le Pieux dépose l'empereur, bientôt rétabli. En

833, nouvelle conjuration : Louis, vaincu à Rothfeld, est déposé et emprisonné à Saint-Médard de Soissons. Lothaire, proclamé empereur, s'enfuit devant la menace de ses deux frères cadets. Louis le Pieux meurt en 840 après avoir partagé l'Empire entre Lothaire et Charles. De sa première femme Ermengarde, fille du comte Ingramn, Louis avait eu trois fils et deux filles.

2. LOUIS LE GERMANIQUE (805-876). Roi de Germanie, dite alors France Orientale (843-876). Troisième fils de Louis le Pieux et d'Ermengarde. Roi de Bavière en 817 par le partage d'Aix-la-Chapelle. En 841, allié à Charles le Chauve, il défait Lothaire à Fontenoy-en-Puisaye. En 843, par le traité de Verdun, ses frères lui reconnaissent la souveraineté de la *Francia Orientalis*, entre le Rhin et l'Elbe. En 858, il envahit le royaume de Charles le Chauve et prétend à son trône ; mais il est récusé par les évêques et vaincu par Charles à Jouy. En 870, par le traité de Meerssen, il se partage avec Charles la Lotharingie laissée par la mort de Lothaire, fils de l'empereur Lothaire. Il meurt en 876 après avoir partagé son royaume entre ses trois fils, Carloman, Louis le Jeune et Charles le Gros.

3. LOUIS II (825-875). Quatrième empereur d'Occident (855-875). Fils aîné de l'empereur Lothaire, il hérite à sa mort, en 855, de l'Italie avec le titre d'empereur. Protecteur du Saint-Siège, il lutte victorieusement contre les Sarrasins. Il meurt en 875 sans autre descendance que sa fille Ermengarde. Charles le Chauve s'empare de la couronne impériale et de l'Italie, et donne Ermengarde en mariage à Boson, qu'il institue duc d'Italie.

4. LOUIS LE JEUNE (830-882). Deuxième fils de Louis le Germanique. Devient en 876, à la mort de son père, roi

de Saxe (incluant la Lotharingie). Il défait en cette même année à Andernach Charles le Chauve, qui avait envahi son royaume. Il hérite en 880 de la Bavière par la mort de son frère Carloman. À sa mort, ses États passent à son frère cadet Charles le Gros.

5. LOUIS IV L'AVEUGLE (880-928). LOUIS III pour ceux qui nient que Louis le Bègue ait été sacré empereur. Fils de Boson et d'Ermengarde d'Italie, il est roi de Provence en 890 à la mort de son père, est appelé en Italie en 899 par les seigneurs révoltés contre Bérenger. Vaincu, il s'engage à ne jamais retourner en Italie. Il y retourne cependant, défait Bérenger en 900 et se fait couronner empereur à Rome en 901. Bérenger, à nouveau vainqueur en 904, lui fait arracher les yeux et le renvoie en Provence auprès de sa mère. Quand il meurt, en 928, le royaume de Provence a fini d'exister.

6. LOUIS V L'ENFANT (893-912). Louis IV pour ceux qui nient que Louis le Bègue ait été sacré empereur. Fils de l'empereur Arnulf, lui-même fils naturel de Carloman de Bavière, il prend en 908 le titre d'empereur, profitant de l'incapacité de Louis l'Aveugle. Il meurt à dix-neuf ans, d'où son qualificatif.

7. LOUIS III (863-882). Roi de France (879-882) en association avec son frère Carloman. Fils aîné de Louis II le Bègue et d'Ansgarde, est couronné roi à seize ans. En 881, remporte sur les Normands la victoire de Saucourt. Il meurt sans postérité, en laissant la couronne à part entière à Carloman.

8. LOUIS IV D'OUTREMER (921-954). Roi de France (936-954). Fils de Charles III le Simple, il est emmené enfant en Angleterre par sa mère princesse saxonne quand son

père est détrôné par les Grands. Après les règnes des Robertides Robert Ier et Raoul, il est reconnu pour roi et sacré.

NOMINOÉ (†851). Souverain breton. D'abord comte de Vannes, est nommé par Louis le Pieux « duc de toute la Bretagne » pour en faire l'unité et garder la paix. Ne se sentant plus lié par serment à Charles le Chauve, il envahit le Maine et prend Le Mans. En 845, il bat Charles qui tentait de le mettre à la raison. Le roi reconnaît la Bretagne comme un État libre et indépendant ; mais Nominoé lui cède les comtés de Rennes et de Nantes. Il a pour successeur son fils Érispoé, auquel Charles le Chauve reconnaît le titre de roi, avec la possession des comtés de Rennes, de Nantes, de Vannes et de Retz.

1. PÉPIN LE BREF (714-768). Roi des Francs (751-768). Fils de Charles Martel, duc des Francs. À la mort de son père (741), est fait roi de Neustrie, de Bourgogne et de Provence. En 751, élu par les Grands roi des Francs, au détriment du Mérovingien Childéric III. Il est sacré (premier sacre d'un roi de France) par saint Boniface, archevêque de Mayence, puis par le pape Étienne II à Saint-Denis. Il est le père de Charlemagne.

2. PÉPIN LE BOSSU (770-811). Fils aîné de Charlemagne, né de sa première femme morganatique Himiltrude. Il complote contre son père et est relégué au monastère de Prüm, où il meurt.

3. PÉPIN (777-810). Roi d'Italie (781-810). Second fils de Charlemagne et de Hildegarde. Sacré roi des Lombards en 781 par Adrien Ier, constitué en 806 par Charlemagne roi d'Italie, de Bavière et d'Alamanie, il meurt soudain

de maladie. Il aura pour successeur en 813 son fils Bernard.

4. PÉPIN († 875). Fils de Bernard, roi d'Italie. Louis le Pieux lui assure le comté de Vermandois (818-875), en réparation du supplice infligé à son père. Il est la tige des comtes de Vermandois et de Troyes.

5. PÉPIN Ier (803-838). Roi d'Aquitaine (817-832). Deuxième fils de Louis le Pieux. Reçoit l'Aquitaine au partage de 817. Révolté contre son père en 832, est vaincu et son royaume donné à Charles le Chauve.

6. PÉPIN II (823-864). Roi d'Aquitaine (838-843). Fils du précédent. Allié à Lothaire, est vaincu avec lui à Fontenoy-en-Puisaye (841). Entré en dissidence, est vaincu en 849 et capturé en 852. Évadé, et repris en 864, il est interné à Senlis où il meurt.

RICHILDE (845-910). Reine de France (870-877) et impératrice. Fille du comte Bivin et d'une autre Richilde, elle appartient à la famille la plus importante de Bourgogne. Sa tante maternelle, Teutberge, a épousé Lothaire, roi de Lotharingie. Elle a pour frères Bernoin, archevêque de Vienne ; Richard le Justicier, comte d'Autun et bientôt duc de Bourgogne, et surtout Boson, comte de Lyon, dont Charles le Chauve fera un duc d'Italie. Charles épouse Richilde en secondes noces en 870 et la fait couronner à Aix-la-Chapelle.

ROBERT LE FORT (815-866). Fils de Robert de Worms, comte d'Oberrhein, il est fait par Charles le Chauve marquis de Neustrie, comte d'Anjou, de Tours et de Blois, pour défendre le territoire face aux invasions scandinaves. Marié à Adélaïde de Tours, il est le père d'Eudes, roi de France, de Robert Ier, roi de France ; de Richilde, épouse de Richard, comte de Troyes.

ROBERT Ier (866-923). Roi de France (922-923). Deuxième fils de Robert le Fort. Comte de Blois à la mort d'Hugues l'Abbé son tuteur, en 886 ; duc des Francs et comte de Paris à l'avènement de son frère Eudes au trône en 888, il est élu roi en 922 par les Grands mécontents de Charles le Simple. Il remporte sur lui, l'année suivante, la victoire de Soissons, où il est tué. Son successeur au trône est son gendre, le duc Raoul de Bourgogne. Père d'Hugues, duc des Francs, il est l'aïeul d'Hugues Capet.

TABLEAUX GÉNÉALOGIQUES

DESCENDANCE DE LOUIS LE PIEUX

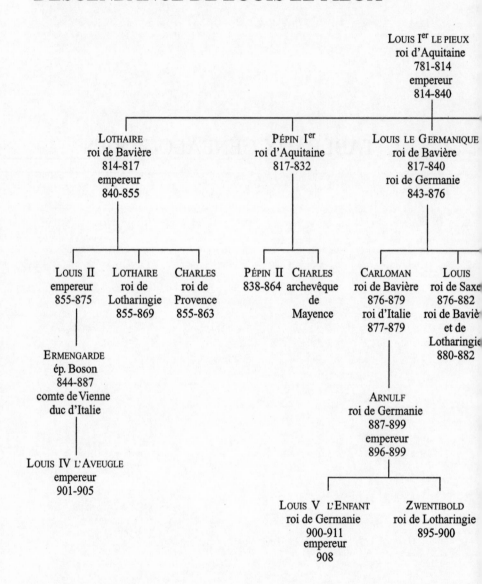

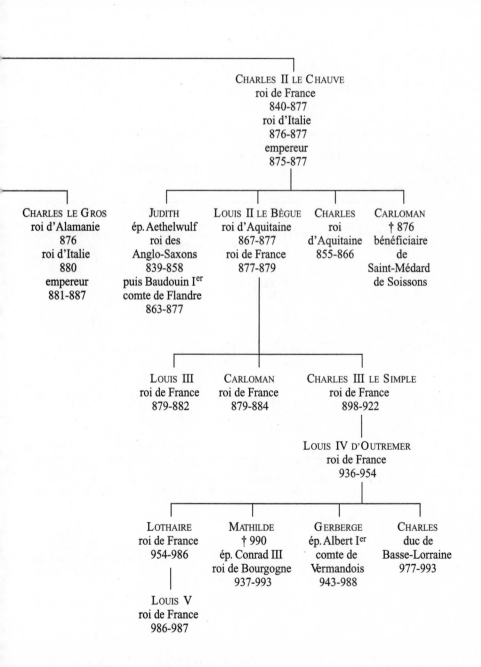

CHARLES II LE CHAUVE
roi de France
840-877
roi d'Italie
876-877
empereur
875-877

CHARLES LE GROS
roi d'Alamanie
876
roi d'Italie
880
empereur
881-887

JUDITH
ép. Aethelwulf
roi des
Anglo-Saxons
839-858
puis Baudouin Ier
comte de Flandre
863-877

LOUIS II LE BÈGUE
roi d'Aquitaine
867-877
roi de France
877-879

CHARLES
roi
d'Aquitaine
855-866

CARLOMAN
† 876
bénéficiaire
de
Saint-Médard
de Soissons

LOUIS III
roi de France
879-882

CARLOMAN
roi de France
879-884

CHARLES III LE SIMPLE
roi de France
898-922

LOUIS IV D'OUTREMER
roi de France
936-954

LOTHAIRE
roi de France
954-986

MATHILDE
† 990
ép. Conrad III
roi de Bourgogne
937-993

GERBERGE
ép. Albert Ier
comte de
Vermandois
943-988

CHARLES
duc de
Basse-Lorraine
977-993

LOUIS V
roi de France
986-987

FAMILLE DES BOSONIDES

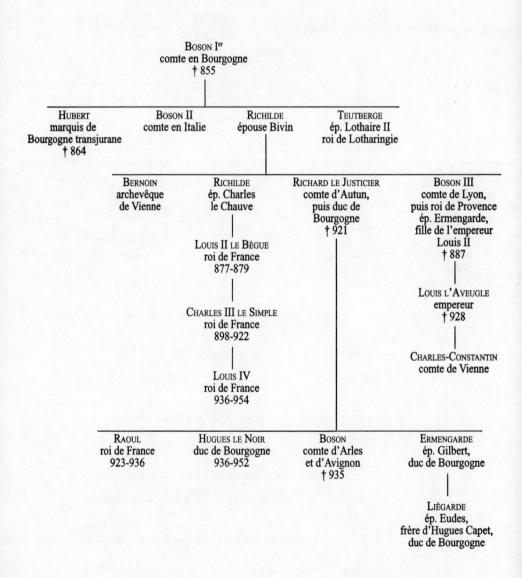

BOSON Ier
comte en Bourgogne
† 855

HUBERT
marquis de
Bourgogne transjurane
† 864

BOSON II
comte en Italie

RICHILDE
épouse Bivin

TEUTBERGE
ép. Lothaire II
roi de Lotharingie

BERNOIN
archevêque
de Vienne

RICHILDE
ép. Charles
le Chauve

RICHARD LE JUSTICIER
comte d'Autun,
puis duc de
Bourgogne
† 921

BOSON III
comte de Lyon,
puis roi de Provence
ép. Ermengarde,
fille de l'empereur
Louis II
† 887

LOUIS II LE BÈGUE
roi de France
877-879

CHARLES III LE SIMPLE
roi de France
898-922

LOUIS L'AVEUGLE
empereur
† 928

CHARLES-CONSTANTIN
comte de Vienne

LOUIS IV
roi de France
936-954

RAOUL
roi de France
923-936

HUGUES LE NOIR
duc de Bourgogne
936-952

BOSON
comte d'Arles
et d'Avignon
† 935

ERMENGARDE
ép. Gilbert,
duc de Bourgogne

LIÉGARDE
ép. Eudes,
frère d'Hugues Capet,
duc de Bourgogne

LES EMPEREURS D'OCCIDENT DE LA DYNASTIE CAROLINGIENNE

1. CHARLES Ier (Charlemagne)   800-814

2. LOUIS Ier LE PIEUX   814-840

3. LOTHAIRE Ier   840-855

4. LOUIS II   855-875

5. CHARLES II LE CHAUVE   875-877

6. LOUIS III LE BÈGUE (Louis II de France)   878-879

7. CHARLES LE GROS   881-886

8. ARNULF   896-899

9. LOUIS IV L'AVEUGLE   901-908
    (Louis III pour ceux qui n'admettent pas le sacre
    de Louis le Bègue)

10. LOUIS V L'ENFANT   908-911
    (Louis IV pour ceux qui n'admettent pas le sacre
    de Louis le Bègue)

11. BÉRANGER DE FRIOUL   915-924

PREMIERS CAPÉTIENS

(la date en caractères **gras**
est celle de l'avènement)

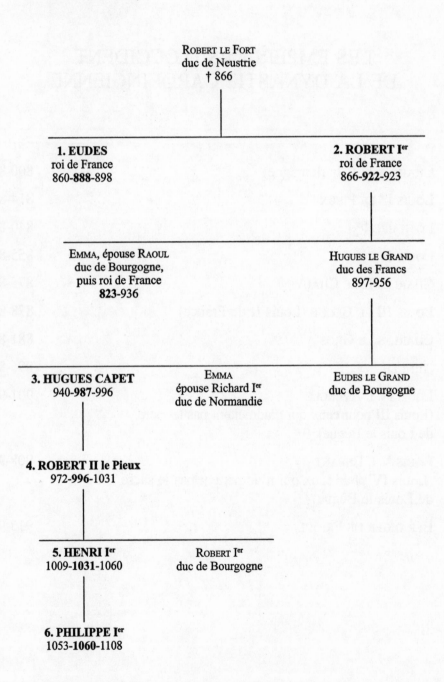

ROBERT LE FORT
duc de Neustrie
† 866

1. EUDES
roi de France
860-**888**-898

2. ROBERT Ier
roi de France
866-**922**-923

EMMA, épouse RAOUL
duc de Bourgogne,
puis roi de France
823-936

HUGUES LE GRAND
duc des Francs
897-956

3. HUGUES CAPET
940-**987**-996

EMMA
épouse Richard Ier
duc de Normandie

EUDES LE GRAND
duc de Bourgogne

4. ROBERT II le Pieux
972-**996**-1031

5. HENRI Ier
1009-**1031**-1060

ROBERT Ier
duc de Bourgogne

6. PHILIPPE Ier
1053-**1060**-1108

ASCENDANCE D'HUGUES L'ABBÉ

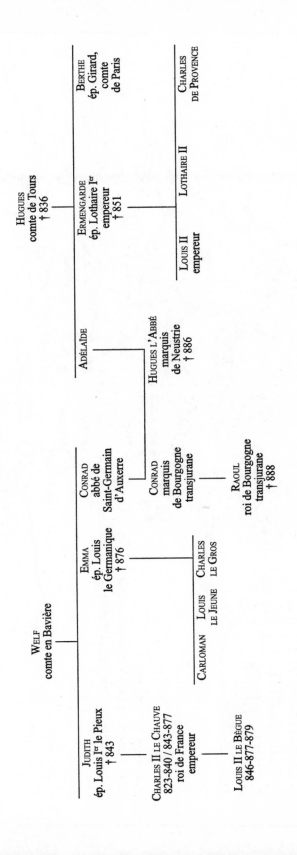

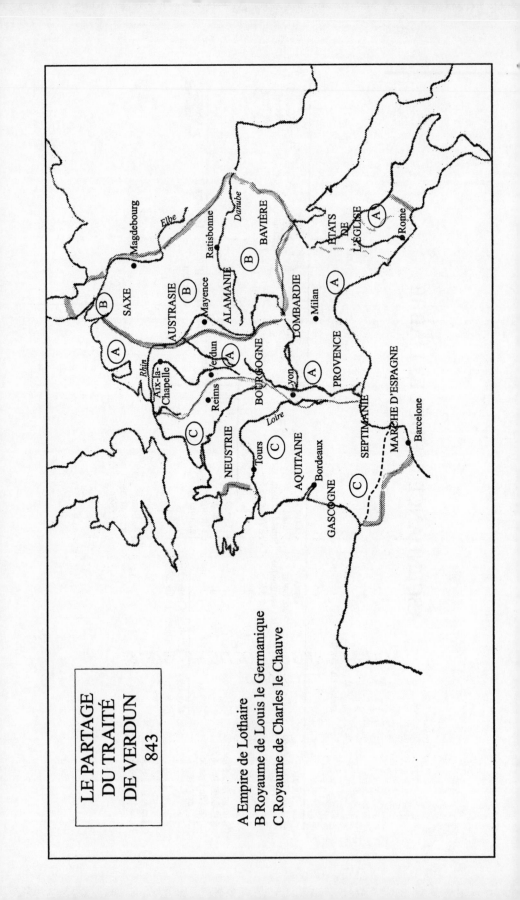

LE PARTAGE
DU TRAITÉ
DE VERDUN
843

A Empire de Lothaire
B Royaume de Louis le Germanique
C Royaume de Charles le Chauve

TABLE

Composition et mise en page

NORD COMPO
m u l t i m é d i a

CET OUVRAGE
A ÉTÉ ACHEVÉ D'IMPRIMER
SUR CAMERON
PAR L'IMPRIMERIE NIIAG
À BERGAME (ITALIE)
EN SEPTEMBRE 2012

N° d'édition : L.01EUCN000506.N001
Dépôt légal : septembre 2012

F2211

10 12